SARAH B

Azucena de Noche

GIROL SPANISH BOOKS
P.O. Box 5473 Stn. F
Ottawa, ON K2C 3M1
Tel/Fax (613) 233-9044

ADOLFO PUERTA MARTÍN

Azucena de Noche

PLAZA JANÉS

Primera edición: febrero, 2007
Segunda edición: marzo, 2007
Tercera edición: marzo, 2007
Cuarta edición: marzo, 2007
Quinta edición: marzo, 2007
Sexta edición: marzo, 2007
Séptima edición: marzo, 2007
Octava edición: marzo, 2007
Novena edición: abril, 2007

© 2007, Adolfo Puerta Martín
© 2007, Random House Mondadori, S.A.
 Travessera de Gràcia, 47-49. 08021 Barcelona
© 2007, RTVE COMERCIAL
© 2007, DIAGONAL TV, S. L.
© 2007, de las fotografías de la contraportada: Rodrigo
 Demirjian (RTVE)

Printed in Spain – Impreso en España

ISBN: 978-84-01-33612-6
Depósito legal: M. 18.200-2007

Compuesto en: Fotocomposición 2000, S. A.

Impreso y encuadernado en Brosmac, S. L.
Pol. Ind. N.º 1. Calle C, n.º 31, Móstoles (Madrid)

L 3 3 6 1 2 6

Para Adolfo, Cecilia, Ino y Raúl,
que me enseñaron

Para Guillermo,
que me enseña

Sobre la mesa de madera pintada y repintada —bajo la descascarillada capa actual color tabaco se descubría una mano de azul anterior y, bajo ésta, otra rosa palo y aún una rojiza más profunda hasta alcanzar la superficie inicial de barata madera clara—, sobre la mesa, digo, la máquina de escribir, una joroba de suaves curvas brillantes y negras como de anguila, cuya piel parecía sajada y levantada con cuidado para mostrar sus eficientes mecanismos internos coronados por los círculos de las teclas, que ya perdieron el blanco y amarillean casi con la misma progresión y tonalidad de las dentaduras; bajo la mesa un taburete de anea negruzca de mil culos; en un rincón un aguamanil, jarra y palangana blancos con ribetes azul marino y llenos ambos de mataduras pardas y redondeadas, como de caballería vieja; en la pared de enfrente, escondiendo el orinal, la cama, con su cabecero de tubo blancuzco arañado y una colcha gruesa que, por más que la estiraras, no conseguía disimular el perfil de campo de dunas del colchón; colgado en la pared del cabecero, un almanaque mostraba a ese Jesús que bendice con una mano y con la otra se abre la toga, en ademán de torero o legionario, para ofrecer su corazón herido al ofensor o al creyente; en días de lluvia, la cacerola para las goteras y, unas veces aquí, otras allá, una caja de cartón, baboso por la humedad, siempre llena o casi de cuartillas arrugadas y garabateadas con dos o tres frases inaceptables. Mi cuarto en una pensión.

Si este interior les parece tristón, recuérdenlo para aliviarse cuando lleguemos al entorno: Madrid, España, los primeros cuarenta, la gran mayoría de la población viviendo encorvados, sin levantar la vista, sin atreverse a mirar directamente a los ojos a los militares, a los falangistas, a los policías, en fin, a cualquier uniformado, lo que incluye serenos, conserjes de oficinas públicas, tranviarios y porteros de finca urbana, a los ricos, a los vecinos soplones, a los que pudieran serlo. Unos acobardados por derrotados, otros por pobres, muchos por ambas cosas, y bastantes que, también pobres eso sí, aun habiendo ganado la guerra, al declararse la paz y ver que la sangría no cesaba, comprendieron que la matanza no se había hecho para restablecer el orden, conservar la unidad patria y garantizar la exclusividad del catolicismo, sino para perpetuar una España en la que la gran mayoría de la población no pudiera mirar a los ojos a los ricos, a la jerarquía militar, a los nobles y a los señoritos. Y a los curas. En fin, a los de siempre y como siempre.

En esa época me tocó amar. En esa época me tocó —lo que creo que los yanquis o los franceses u otros así reconocen como un derecho en su constitución— perseguir la felicidad. En esa época y en España la felicidad, créanme, nos llevaba mucha ventaja. En ningún momento la carrera tuvo buena pinta para los locales.

Y ya no sólo la felicidad; la mera diversión resultaba inalcanzable para muchos, incluso la satisfacción de las necesidades más naturales era algo poco común, hasta el punto de que los tres conceptos se confundían en la mente del pueblo llano. Sentarse a la mesa tres veces al día era divertido, comer lo suficiente en cada ocasión para quitarte el hambre la felicidad. Follar era divertido, follar sin que te casaran la felicidad, sin condenarte al infierno el éxtasis. A los adolescentes se les amenazaba con la tisis si se satisfacían lo suficiente como para divertirse. Ser republicano, socialista, comunista, anarquista o masón y respirar era divertido; serlo y respirar sin que te fusilaran después la felicidad. Por lo menos no estabas obligado a perseguirla porque ninguna constitución te lo sugería. Eso sí, al final resultó que un buen número de personas ni siquiera sabían que la felicidad andaba alrededor (del mismo modo que un buen número de mujeres no sabían que existía el orgasmo femenino entre las españolas: para ellas, pensar que algunas extranjeras lo tenían era divertido).

Los que habíamos frecuentado los cines antes de la guerra sí; a nosotros no nos la daban con queso: la felicidad existía y, como en los casos del orgasmo y el clítoris, en el extranjero era bastante común.

Y la radio; antes, al describir mi habitación, se me olvidó el aparato de radio, tras la máquina de escribir, con su frente de tela perforada, sus ásperas tablillas con el barniz perdido y formas de catedral gótica.

Aunque con más dificultades, también a través de la radio podía intuirse que en otros ámbitos conocían la felicidad, si bien es verdad que los locutores se esforzaban en dejar muy claro que, en contrapartida, los ciudadanos de esos países debían tolerar el cruzarse en la calle, compartir barra o mesa, trabajar (y hasta hacer largas colas en los colegios electorales) con ateos. La felicidad completa no existe, venían a decir, en la vida hay que elegir en todo y para todo: elegir tu camino, elegir entre el lado bueno y las tinieblas, elegir entre los soldados de Dios o las hordas de Satanás, elegir cualquier cosa menos gobernantes.

Aun así, la radio fue nuestra pequeña ventanita a nuestro propio y distorsionado mundo. El cine nos mostraba otros... más que mundos... universos lejanos, que además parecían reales, muy reales. La radio, si bien en pequeños trozos, nos enseñaba al tipo de al lado y siempre de una manera irreal, como en un delirio: el hombre que sabía tocar la marcha del brigadier golpeándose con un lapicero en los dientes; el hortelano que había cultivado una calabaza de sesenta y tres kilos de peso y el diámetro de un templete de banda de música; el héroe que por sobrevivir al frente ruso había hecho la promesa de volver a casa de rodillas y ya estaba a la altura de Perpiñán; la señora que había parido trece niños varones y con los mayores ya en edad militar seguía llevándoles cada domingo a la iglesia vestidos todos parejito; la marquesa piadosa que por fin conseguía salir del sanatorio en donde, al quedarse viuda, había sido recluida por su pérfido unigénito para que no siguiera distribuyendo su fortuna entre los pobres; el dueño de una gran industria de interés nacional que sólo ahora, en sus últimos días, confesaba que todo se lo debía a la Virgen, que se le había aparecido en la estación del Norte cuando contaba tan sólo diez años de edad y acababa de robarle la cartera a un cateto: la Virgen le prometió riqueza y honores si le devolvía al cateto la cartera, se aprendía el catecismo hasta donde pone «este libro fue impreso» y rezaba cien credos; el musulmán que, con los ojos cerrados, era capaz de reconocer el origen geográfico de hasta una treintena de embutidos diferentes y no los había catado jamás; y así cientos y cientos de vecinos marcianos.

Tras un espacio que relataba esas vidas ejemplares, venía un serial que hacía llorar a las mujeres y que a quien más «emocionaba» era a los hombres: las mujeres al fin y al cabo lloraban por cualquier cosa de la vida real; a los hombres, sin embargo, les estaba vedado el desahogo ante los sinsabores de la cotidianeidad y por eso, aunque era una actitud no muy bien vista, se les toleraba una lágrima abortada y un temblor de mentón mientras escuchaban un serial. Los hombres aprovechábamos para echarle la culpa a la radio de nuestra tristeza.

Y tras el serial, el consultorio sentimental.

Los consultorios sí que eran objeto de mofa por parte de los varones, burlas que trataban de ocultar la inquietud. Nos daba una risa nerviosa escuchar cómo mujeres lejanas preguntaban angustiadas acerca de asuntos del corazón, a veces del suyo, a veces del nuestro. En aquellos tiempos para nosotros, varones, esos asuntos eran mero trámite y sólo se comentaban durante el período de galanteo y más bien de pasada; y, aunque los más románticos extendían esas charlas hasta el noviazgo, lo normal era que en esa fase primaran ya las cuestiones económicas y de intendencia: «Con lo que ganas, y algo que te subirán cuando nos casemos, y lo que nos pueda mandar del pueblo mi madre, aceite, harina, harina de almortas para hacer gachas, quizá membrillos que aguantan mucho y se pueden conservar haciendo carne, con eso vamos tirando hasta que tengamos al niño; cuando lo tengamos vas a tener que buscarte un trabajo para por las tardes, mi primo, además de trabajar en la fábrica, tiene una representación de gaseosas por la tarde y dice su mujer que saca más que en las ocho horas de la mañana; sí, cariño».

Los consultorios vinieron a demostrarnos a los varones que ellas no utilizaban el corazón sólo como arma de seducción, ¡creían en él de verdad! ¡En las noches tempranas de invierno pensaban en el amor! ¡No me jodas! ¡Son sinceras! ¡Se lo creen!

Y algo parecido me sucedía a mí. Por eso, aunque siempre lo negaré ante terceros, escuchaba cada día Azucena de noche; me sentaba ante la máquina de escribir y, en lugar de mecanografiar, giraba el dial hasta conseguir la voz de Azucena lo más nítida posible. La mayoría de las veces, Azucena ya había comenzado a contestar a las consultantes:

«... díselo lo más claro posible, Bellaflor de Málaga, sé valiente y escríbele: es verdad que estuvimos de acuerdo en que partieras a buscar fortuna, dile, es verdad que lo hablamos los dos y no hubo dudas, pero ya son muchos meses de andar separados, muchos meses de esperar en la lumbre imaginando desgracias; parecen años y ahora, a veces, entre las llamas, se me presenta tu cara rayada de arrugas profundas en la frente, en el rabillo de los ojos, grietas de bordes duros que van de la comisura de los labios a la barbilla. Todo para vivir mejor cuando lo que queremos es casarnos y vivir juntos. No vale la pena, mi amor; ninguna riqueza vale una hora de añoranza; vuelve y conformémonos. Aunque ya presiento tu respuesta: ni una vida a tu lado vale la pena si no te doy lo que vales, si no consigo que te inunde por los años de los años la alegría. Somos diferentes tú y yo, amado mío: tú me quieres sólo si ves en mis ojos que estoy satisfecha porque luchaste para mí; yo te quiero a secas».

Ya digo que lo negaré siempre, pero, aunque tiraba cuartillas a kilos por no encontrar la frase exacta, habría dado cualquier cosa porque mis escritos hubieran tenido una eficacia tan inmediata como los relamidos párrafos de Azucena. Esa mujer sabía lo que la gente necesita: no la verdad, no la belleza, no la razón; sólo a alguien que les permitiera encontrar la paz.

En ésas estaba cuando comenzó la historia. Ruego que se me disculpen las gilipolleces que hice para cazar al amor. Y el dolor que causé.

PRIMERA PARTE

La Nochevieja del 44

1

Cuando sonaron los golpes en la puerta ya llevaba despierto un rato. Con las mantas hasta los ojos, esperaba a que el sol lejano de diciembre derritiera los carámbanos que durante la noche se habían formado en el dintel de la ventana. Otras madrugadas era al revés: aunque igual de tapado, me quedaba mirando la claridad de la luna que cobraba espesor en los cristales sucios, tan descorazonado que intentaba ver cómo se formaban los estiletes de hielo y sólo me dormía cuando el alba garantizaba que no crecerían más, hasta alcanzar el alféizar, por ejemplo, y convertirme en preso en una cárcel helada. Miedos de madrugada. Miedos superfluos en este caso porque no es que a la luz del día y afuera, en la calle, mejorara la cosa: el país entero era un penal bajo cero. Y como los penados, por la mañana en los trabajos la gente se contaba primero las últimas desgracias, las bajas; después las prendas que llevaba encima.

Primero: han *sacado* a Pedro, el Corriente, el de Carabanchel Alto, ya ves tú, si sólo le habían caído nueve años; dicen que han matado a toda la partida del Cojo, el que se fue con la guerrilla de Galicia; la mujer de Beltrán, que era enlace de los comunistas, está presa en Ventas, a ésa le dan matarile sin abrirle causa.

Y luego: fíjate, macho, llevo dos camisetas, dos camisas con cuello, un jersey fino y otro gordo, el que usaba mi tío cuando cogía olivas en enero en Lérida, calzoncillos largos, unos pantalones finos, de pijama, pero que me están estrechos y se ajustan, y luego encima el mono que, como era de mi hermano y me viene grande, lo tapa todo, más el puto capote, que lo único que hace es pesar. ¿Dónde coño están todos aquellos tres cuartos de cuero que se veían tanto en guerra?

Volvieron a sonar los golpes.

—¡Le traen un telegrama! ¿Quiere firmar o le digo al cartero que se vaya? —escuché gritar a mi patrona tras la puerta.

—Ya voy, ya voy —contesté.

Salí de la cama; menos el capote y el mono, que decía aquél, lo llevaba todo encima. Me sonaron las tripas cuando me incorporé. Ya hablaremos del hambre. Cogí la botella de gaseosa que por las noches metía llena de agua tibia entre las sábanas y abrí la puerta. Hubiera sido mejor agua caliente, claro, pero no tenía derecho a cocina y la patrona sólo me permitía poner agua a calentar cuando, después de la cena, las brasas ya se enfriaban.

—Tenga. —Le entregué la botella a la patrona—. Cuídela bien, que le debo la vida.

Y me dirigí hacia el vestíbulo, donde el cartero esperaba. Me entregó el telegrama, firmé y, tocándome con las manos los bolsillos del pantalón, le indiqué que no esperara propina. Arrugó el entrecejo.

Propina, ¿por qué? Al fin y al cabo, era yo el que iba a recibir malas noticias en cuanto abriera el papelito azul de Correos y Telégrafos. Los dos pusimos ojos de temor al futuro. Se marchó renegando.

Volví a mi habitación para abrir el telegrama. No tenía familia ni negocios, a nadie le resultaba urgente que yo recibiera información alguna, no había en el mundo un alma que considerara su deber gastar unas cuantas pesetas en hacerme partícipe de algo. Éstos no eran miedos de madrugada. O sí. Ya digo que, en aquellos días, era fácil prolongar la noche incierta. Miedo por ejemplo a que volvieran a llamarme a filas o a un juicio o a Sol, como le llamábamos a la Dirección General de Seguridad. Pero no, pensé, los de Sol hacen las cosas a lo grande y a lo oscuro: nada de telegramas, patada en la puerta de madrugada; nada de citas, si quieren que estés a tal hora en tal sitio te llevan a empujones y culatazos. No. Y ya había cumplido el servicio militar o eso creía yo, porque entonces no se podía estar seguro de nada que se relacionara con la Administración, en especial con la militar: podrían haber pensado que la patria volvía a necesitar el cuerpo y la sangre de Alfredo Jarabo, veintiocho años, periodista sin periódico, hambriento, con agüilla saliendo permanentemente de la nariz y con el miedo tan instalado en su organismo como el plomo que llevaba en la cadera desde la incursión celtíbera en Rusia. ¿Que por qué tenía tanto miedo a las fuerzas del orden y a la Administración en general si mi pasado era blanco por haber hollado la nieve pura del país de los soviets con la División Azul? Ya hablaremos también de eso, aunque algo adelanto cuando digo que soy cojo porque tengo alojada una bala en mis huesos por intentar tomar las de Villadiego.

El corazón comenzó a palpitarme, pero el corazón palpitaba en aquellos años por tantas cosas que tampoco era noticia. Rasgué el sobre con decisión, no sin antes calcular cuánto tardaría en llenar mi maleta de cartón con todos aquellos jerséis, calzoncillos largos y el par de libros que poseía, repasar mentalmente el camino más corto hasta la estación de Atocha y tratar de recordar los precios de los billetes de tren para saber hasta dónde podrían llevarme las treinta y tantas pesetas que tenía en el bolsillo. Hombría, Alfredo. Había mantenido el telegrama en mi regazo, abierto, con el texto a la vista y sin mirarlo. Lo alcé. Lo leí. Era de Cecilia.

2

Es la de Cecilia la historia que voy a contar en estas páginas. De Cecilia… como se llame ahora, que la mujer ha tenido que cambiar de apellido más que yo de bando. Para Cecilia, como para tantos otros, la guerra no ha terminado. Ni terminará nunca. Quizá muchos de ellos, de los vencidos, claro, saben que ya no es posible continuarla mediante las armas pero buscan otros medios. Cecilia ha encontrado el suyo: su hija. Allá por finales del 38 o comienzos del 39, Cecilia y su compañero, Reyes Camacho, comprendieron una noche, mientras se replegaban por los montes del Maestrazgo después de la batalla bajo una lluvia de fuego y con el olor del odio bien metido en las pituitarias, que los nacionales ganarían y se juraron, no ya dar la vida por la República, sino darla por el hijo o los hijos que tuvieran, dar la vida para que no vivieran con miedo, para que no vivieran humillados, por enseñarles a discurrir en libertad. Reyes ya cumplió su promesa: fue asesinado en Madrid en mayo del 44. Cecilia estaba en el empeño todavía: la misma fecha en que mataron a su compañero huyó y ha permanecido desde entonces en paradero para mí desconocido hasta que recibí el telegrama, el último día del año de 1944, a las once de la mañana, mientras fantaseaba con la siguiente era glacial. Cecilia me pedía que acudiera a visitarla. Después de comer (supongo que no era literal, sino una forma de fijar un momento en el tiempo), lo antes posible, añadía, en la salida del metro de Vallecas. Como irán ustedes comprendiendo según avance el relato, no tuve más remedio que acudir: se me había metido en la cabeza que Cecilia cumpliera su promesa de modo diferente a como lo hizo su compañero; esto es, no muriendo, sino sacando adelante a una niña sin miedo y con esperanza. Puede que no lo hiciera sólo por Cecilia; puede que lo hiciera más bien por mí, por nosotros o por algo aún más general. Adelanto también que en el 42 anduve enamorado de ella en la distancia.

Después de todo, aunque debería ir a Atocha a coger el metro, no tuve que utilizar el camino más corto. Cecilia no me esperaba hasta después de las tres, las dos y media como muy temprano; bien podía dar un rodeo, subir por la calle Toledo y desayunar algo en El Extremeño, el bar del padre de un compañero de fatigas en la estepa: a los conocidos les vendían un tocino que traían de Alconchel que, como sucede con las focas, era mi principal defensa contra la baja temperatura.

Cambié el jersey gordo de dormir por el jersey gordo de salir y salí. En el tercero A recogí la trinchera; la inquilina, Juani, de más de setenta años y de absoluta confianza, le había limpiado la sangre y la prenda había quedado en muy buen uso. Esta sangre no tiene nada que ver con lo que estoy contando: eran la sangre y la gabardina de un corresponsal inglés que, como estaba enamorado en su tierra y a punto de casarse, había preferido la seguridad de informar sobre la represión franquista a los peligros ciertos de ser destinado al frente birmano. Yo le pasaba información de primera mano y a menudo. Hace dos días acudí a una cita con él y le encontré tirado con un charco de sangre alrededor de su cabeza en el callejón donde habíamos quedado. No voy a decir que me hubiera legado la trinchera con todas las de la ley, pero sé que lo hubiera hecho de haber sido consciente de los riesgos que corría.

3

Mi pensión estaba en el Camino Alto de San Isidro, en la segunda manzana de la acera de la izquierda según se entra desde General Ricardos y no debía ser muy legal, porque ningún cartel la identificaba. En realidad, la patrona, alineada con los vencedores, había terminado la guerra siendo propietaria de dos pisos en el mismo portal y en el de arriba, antigua propiedad de un fusilado, acogía huéspedes. A lo mejor tenía algún arreglo con el jefe de casa y, a cambio de silencio sobre el negocio, se repartían entre ellos el dinero de los alojados. El silencio.

He hablado con gentes de mi edad y, en todos, lo más vivo de la memoria de aquellos años viene adobado por el frío, el hambre y el silencio. Cuando digo «todos» me refiero a los que perdimos la guerra o por lo menos a aquellos que no ganamos nada con ella. Tuvimos también nuestras generosas raciones de sangre, sudor y lágrimas, claro, pero nadie puede pasar un tiempo indefinido sangrando, sudando o llorando; hambriento, helado y temiendo hacer ruido sí, lo garantizo. Y hay más: sangrar, sudar o llorar son actividades que llaman la atención, que reclaman socorro o al menos compasión, que en cierto modo te unen al mundo; el frío, el hambre y el silencio te separan, te hacen más pequeño, dejas de ser.

Subí por la calle Toledo hasta el mercado de la Cebada. Antes de la guerra había sido un mercado popular, pero hoy, fin de año, en sus alrededores se veían muchos coches: los ricos, los vencedores comprando en la trastienda su cena de Nochevieja, haciendo alarde de su victoria, mirando con desprecio a los buscavidas antes de entrar al coche, sin mirarles una vez dentro y en marcha. El daño que puede hacer una no mirada. En las cestas de los más afortunados entre los más humildes, unos cuantos tallos de cardo, quizá lombarda. Carne, la que pudieras conseguir de tu cónyuge en fecha tan señalada.

Y a partir de la plaza de la Cebada, caminando por Magdalena, ningún signo de comida, nada, ni escaparates. De vino sí, botas entre las piernas de los golfos y vagabundos arracimados en los bancos de Progreso, pero nada sólido hasta llegar a la calle del León, donde estaba El Extremeño. Allí tampoco se veía, pero se olía. Desayuné del veteadito, que esperaba me diera fuerza para la jornada, que presentía muy larga. Y me dirigí sin prisa hacia Atocha.

Como en otras ocasiones estuve a punto de pasar mirando hacia la izquierda para no ver el Hospital de San Carlos, lugar de tantas desdichas propias y ajenas, pero la misteriosa llamada de Cecilia me hizo pensar que podría terminar el día en una de sus salas de cirugía, como ya había sucedido dos veces con anterioridad, y me decidí a echarle una última ojeada, por si se convertía en lo más parecido a mi monumento funerario. No es que pecara yo entonces de megalómano, es que, sabiendo en lo que andaba Cecilia, si teníamos problemas sólo nos esperaría la fosa común.

Para hacer tiempo antes de ir a Vallecas me apoyé en las verjas del hospital. A recordar.

La primera vez que visité el Clínico fue durante la gran ofensiva contra Madrid, mientras defendía la capital en el frente de la Universitaria. Un moro me metió su bayoneta en el hombro y no me remató porque o tenía prisa en seguir hiriendo o me dio por muerto. La segunda fue al volver de la Unión Soviética. Yo ya traía una cura de campaña, pero me empeñé en que me arrancaran la bala de una vez. No lo consiguieron, aunque yo sí mi segundo objetivo: salí de allí con un diagnóstico que certificaba claramente que había sido herido en defensa de la civilización católica y que llevaría de por vida en mis entretelas un pedazo de plomo… ruso. En realidad, el plomo no sé de dónde lo habrían robado los nazis, pero la bala era de inequívoca fabricación alemana. Lo sé porque fue un amigo quien me disparó. También entonces me confirmaron que sería cojo de por vida.

No voy a decir que la noticia me amargara la vida porque bastante amarga era ya, pero a finales del 41 yo tenía veintiséis años y estaba convencido de que mi vida erótica habría sido más intensa sin mi bamboleo: aunque no muy alto, tengo unos ojos dizque penetrantes, facciones regulares, el pelo negro y espeso y un par de veces me han asegurado que resulto interesante. Pero soy un cojo interesante.

4

Voy a contarlo todo, que si no reviento.

Cuando los fascistas entraron en Madrid, los que como yo habíamos combatido teníamos muy claro de qué iba el asunto: tratarían de terminar con la oposición físicamente, que es la forma más segura de no tener futuros problemas con la libertad de opinión. Los que pudimos nos escondimos; quemamos nuestros carnés y, en los momentos de pánico, queriendo volver al seno materno, nos metimos encogidos como fetos en buhardillas, almacenes, sótanos, despensas (vacías), cámaras sobre falsos techos, agujeros hediondos excavados en corrales y disimulados con las materias más pestíferas que pudieran expeler los animales domésticos. Y aun así nos encontraban; he conocido gente que ha pasado días, semanas y hasta meses en cada uno de los espacios nombrados y que, finalmente, fueron encontrados y sacados. Madrid es un pueblo, coño, y un pueblo sin víveres: una boca más en una casa termina notándose; sacar los orinales también tiene su riesgo. Las denuncias se amontonaban sobre los escritorios de Falange; los presos se amontonaban en los muros de los cementerios para ser fusilados sin ser nadie; los cadáveres en las fosas comunes, clandestinas o no. Todo se hacía a montón, a lo grande, muy probablemente para que no se reparara en que cada muerto era un crimen.

Aunque la familia que me escondía no presentaba fisuras ideológicas, aunque yo comía poco y por consiguiente llenaba pocos orinales, aunque apenas me movía y siempre en la oscuridad, sabía que era cuestión de tiempo, quizá muy poco, que un delator viera desde la calle, o más probablemente desde otra buhardilla, un reflejo en el cristal o que simplemente imaginara un movimiento en las cortinas. Se denunciaba cualquier cosa; hubo gente que denunció sin más pruebas que los sueños o el deseo. Las denuncias daban puntos, y probablemente más las fallidas; porque denunciar algo que realmente se sabe es obligación del buen fascista, pero denunciar algo falso implica que el denunciante permanece ojo avizor, siempre alerta, y que si hoy ha fallado mañana no lo hará. En cualquier caso, ni la Falange ni la policía se enfadaban demasiado si la delación no llegaba a buen término; lo que les gustaba era entrar por la fuerza en los domicilios; así llenaban sus días. Y yo llenaba mis noches escuchando en mi obsesión y mi miedo una y otra vez sus pasos firmes y marciales en las escaleras de madera camino de mi escondrijo.

Con los nervios convertidos en hilillos de baba y sintiéndome más que nunca una carga para la humanidad, decidí pedir un último favor a mis benefactores, un favor que les libraría de mí para siempre. Y la verdad es que noté cómo al hombre, al cabeza de familia, que era el único que subía y se encargaba de mi mantenimiento, le aliviaba mi solicitud. Y más contento se puso cuando comprendió que no tenía excesivo riesgo: se trataba de localizar a Emilio Lapuente, un tipo de las derechas más vocingleras y mi mejor amigo desde los aleccionadores años del hospicio. Emilio, dos años mayor que yo, siempre me había protegido y era más que probable que ahora estuviera bien situado (nunca le vi mal situado) y dispuesto a seguir protegiéndome. Por los periódicos llenos de grasa en que de vez en cuando me envolvían las sardinas saladas estaba yo al tanto de los centros de reunión de los vencedores, tanto de los listos como de los tontos. Los tontos deteniendo, encarcelando y fusilando inocentes; los listos en los pisos altos de los Ministerios, en Chicote o en el Morocco, según el talante de cada uno, pero siempre haciendo caja. Emilio era de talante putañero y para hacer dinero prefería los recovecos menos organizados por la ley.

—Que su crío vaya primero a esos dos bares que le he dicho, a partir de las ocho u ocho y media y que pregunte por Lapuente, Emilio Lapuente —le dije a mi protector.

Al chaval no le llevó más de dos días encontrarle. Cuando me lo dijeron salté de alegría; Emilio siempre tenía salida para todo. Y la tuvo:

—Yo te avalaré —me dijo Emilio después de los abrazos—. Pero, claro, eso no te lavará; lo que tienes que hacer es venirte conmigo voluntario a la División Azul; te garantizo que a la vuelta nadie se acordará de que fuiste rojo. Si te hieren, mejor.

—O sea que de echar sangre no me libro.

—¿Qué quieres, chaval? Hay que aguantar. La vida está muy dura.

—¿Para qué coño vas tú a Rusia si no lo necesitas?

—Porque me han nombrado sargento de intendencia. Es una inversión, sólo eso. ¡Ya verás cuando volvamos! Forraos.

Me planté en el banderín de enganche, claro; cualquier cosa antes que volver al trasiego de pan negro y orinales. Y no es que con la camisa nueva y los correajes me sintiera limpio, más bien al contrario: cuando después de desfilar por Madrid llegamos a la estación vomité.

—Macho, eso es que no estás acostumbrado a comer tanto —se rió Emilio.

Y era verdad que en el cuartel nos alimentaban opíparamente, pero no vomité por empacho. La vergüenza. Y no tanto la mía, lógica por verme allí marcando el paso tras la cruz, que también, sino la ajena que sentí al ver a aquellos niños rapados y descalzos, aquellas mujeres desdentadas, aquellos hombres famélicos en las aceras dando vivas a Franco con ojos nublados por la miseria cuando lo que estaban necesitando es que alguien les garantizara la vida a ellos mismos, que el Caudillo cuidaba de la suya con brío.

En Rusia, ni me hirieron ni aguanté. Da igual en este caso si fue consecuencia de mi odio a los nazis, mi odio a los oficiales, mi ya conocido odio al hielo, o mi odio a los cadáveres rapiñados; por la noche el odio me removía tanto que nadie quería dormir a mi lado: pegaba patadas a diestro y siniestro y, como dormíamos vestidos, hacía ruido con los metales que siempre adornan y se esconden en los ropajes militares. Un amanecer decidí ahuecar el ala sin decir adiós, ni siquiera a Emilio. Mi plan era entregarme al Ejército Rojo y tratar de demostrar que había pertenecido a las Juventudes Socialistas Unificadas. Me despojé de metales tintineantes, incluido mi armamento reglamentario, y me interné en el bosque, hacia el este. No había caminado más de un kilómetro cuando un golpazo en la pierna me hizo caer. Después escuché la voz de Emilio.

—¿Adónde ibas, anormal?

Me giré y vi todavía humear el fusil del sargento de intendencia.

—¿No me jodas que me has metido un tiro?

—Sí, claro —se reía—, ¿no era eso lo que querías? Aquí me tienes, fabricando héroes para mayor gloria de la patria y el Vaticano. Ala, que te vas para casa. Hubiera sido mejor que aguantaras, pero cada uno es cada uno. Un poco de alcohol en ese muslo y a vivir.

—¡Que no ha sido en el muslo, gilipollas!

Me desmayé y cuando desperté todo el mundo hablaba alemán. Mi primera impresión, lo juro, fue que habían ganado la guerra y que hasta los soldados sanitarios de mi regimiento se manejaban en el idioma del Reich. Otra vez iban a notar que no era de los suyos. Sólo alcancé la calma al escuchar, tres camastros más allá, a uno que se cagaba en Dios. Era de Bilbao y no parecía muy voluntario. A los quince días nos repatriaron al de Bilbao, a la bala en la cadera y a mí. El de Bilbao murió sin dejar de cagarse en gente divina y humana en el Clínico de San Carlos. A la bala y a mí ni siquiera allí nos separaron.

La cojera, aunque evidente, no me impide ningún movimiento necesario para la vida normal. ¿Qué vida normal?

5

Faltaba aún más de una hora para que dieran las tres en el reloj de la estación cuando salí a la glorieta de Atocha. Tenía ganas de ver a Cecilia, también de conocer a su hijo si lo había tenido. Y miedo. No tanto por lo que pudiera sucedernos a los tres, que también; tenía miedo a otras circunstancias más íntimas. Como se comprobará, ambos miedos estaban más que justificados.

De un lado, por lo que yo sabía, Cecilia continuaba en la lucha activa contra Franco y eso entonces se pagaba: si estabas de suerte, con muchos años de cárcel; cuando te quedabas sin ella, con el garrote o el fusilamiento. Y si Cecilia se había decidido a solicitar mi ayuda debía estar en una situación bastante apurada. Como ya irán viendo, hasta la fecha, yo sólo le había dado muestras de mi torpeza.

De otro lado, sentía pánico de imaginar los ojos de Cecilia y ver en ellos el olvido de mi amor o sólo amistad.

Sin embargo, la mente de los hombres solitarios, supongo que peor cuando además de solitarios somos cojos, es caprichosa y dada a los gestos vanos y arriesgados. Allá vamos, Jarabo.

Atocha era un hormiguero.

Aunque la verdad, con lo que el país había pasado, no sé de dónde sacaban los datos, parece que todo el mundo estaba de acuerdo, poetas incluidos, en que Madrid era una ciudad de un millón de personas. Los poetas decían un millón de muertos, la cuenta de la vieja oficial afirmaba que estaban vivos. Pues bueno, los que veía pulular por la glorieta de Atocha aquella mañana última del año eran a mi modo de ver mitad y mitad.

En términos pugilísticos, en el rincón de los muertos se reunían los que venían de la estación tirando como mulas de carromatos con ejes tan resecos que lloraban; los limpiabotas, muchos, agachados sin faena en una fachada sur al resguardo de los vientos del Prado; las mujeres, los hombres y los niños que acababan de bajar del tren y con aire despistado y fofos talegos colgando preguntaban por Porlier, por la Modelo, por Ventas, por cualquier cárcel, a otros tan despistados como ellos, nunca a un policía, aunque también los hubiera muertos; los pedigüeños, los soldados, aunque también los hubiera vivos; los traidores, los de ropas desgarradas, remendadas, recosidas; los que habían esperado un día más un tren y tampoco en ése había regresado; los arrestados con fardos de productos para el estraperlo menor o los que trataban de encaramarse a un convoy que les sacara del cementerio; los que habían pasado la mañana ateridos en las vías rebuscando carbonilla para el brasero… en fin, en general, todos aquellos a los que apenas se les notaba el vaho que salía de su boca, quizá porque respiraban con miedo, quizá porque sus entrañas sin calorías estaban tan frías como el ambiente.

En el rincón de los vivos, los que vestían abrigo y más los que cuidaban de su garganta con bufandas o chalinas blancas y limpias, los que sonrientes, orondos, satisfechos abrazaban a los recién llegados para pasar las fiestas en familia, los policías que sacaban pecho y empujaban por la espalda a los jodidos, les zarandeaban y les metían a patadas en el furgón, los que llevaban camisa azul y se saltaban las colas, los delatores que les reían la gracia y levantaban el mismo brazo con el que señalaban para limpiar el mundo de los vivos, algún poeta que se hacía el muerto, los estraperlistas que, una vez lanzada su carga por la ventanilla a la altura de Vicálvaro, Villaverde o más allá, habían llegado limpios a la estación y se comían ya sosegados el pan y el jamón a tacos cortados con sus navajas, los oficiales, sus ordenanzas... en fin, en general, aquellos que exhalaban a grandes chorros el calor que le quitaban a otra gente.

Se intuía también en Atocha el otro mundo, el que queda entre los vivos y los muertos, el de los que viajaban con pasaporte falso, con la identidad de otro, los que parecían ceder el paso a los que llevaban más prisa cuando en realidad lo que querían era saber si los guardias interrogaban a los que marchaban delante, los que cargaban con maletas de doble fondo repletas de letra impresa, de frases de esperanza, de venganza también, los que procuraban antes de salir al sol darle color a sus mejillas, cenicientas de saber que de un costado les colgaba un calibre treinta y ocho, los que se veían ya entre los muertos por una traición o un contacto fallido, los que susurraban y seguían a un mocoso que ya se había hecho enlace hasta una pensión de mala muerte y consumían su media vida esperando… esperando una acción, que podría ser un error o chivatazo que les llevara al mundo de los muertos o un acierto, un empujón, un desespero popular que volviera a hacer del mundo un paraíso. De vivos.

Y yo ¿en qué esfera me movía? Era un muerto, pero vestía trinchera. Dejemos eso por el momento; baste decir que, sin un futuro propio, no me hubiera importado entregar el que me habían impuesto para sacar a Cecilia de ese purgatorio de los nombres falsos.

Bajé a coger el metro. Subterráneo. Fácil decir que aquí abajo todos son muertos. Pues bien, así era. Miradas al piso, pómulos marcados, ojos hundidos, ojeras. Dedos retorcidos por la artrosis o la rabia alrededor de las barras grisáceas del vagón. Prendas demasiado grandes o demasiado pequeñas, chaquetas de mujer en cuerpos de hombre, incluso con grandes y fantasiosos botones, sandalias atando con sus correas trapos, boinas blandas de grasa o con caparazón quebradizo de suciedad reseca, negras rodillas de niños, narices rojitas y acuosas, babas en las bocas. Pero por una vez calor. O menos frío.

6

Salí del metro en Vallecas. Allí abundaban más las caras de pasmo; caras oscuras, curtidas, con patas de gallo como cicatrices y la expresión de «¿qué coño hago yo aquí?», rostros que se preguntaban por qué no habrían tenido un poco más de aguante con el señorito de su pueblo en lugar de marcharse con su escaso equipaje nada más ver las condiciones del siglo pasado que, victoriosos, querían imponer a los jornaleros. Esto no era mucho mejor. Se veía a los señoritos mucho más de lejos, es verdad, pero su acoso, sus sospechas, su altanería, su desprecio, sus exigencias y su acumulación eran como grandes focos que caían sobre uno a cada paso, como si te iluminaran, como si no pudieras esconderte nunca, como si fueras transparente, hasta el punto de avergonzarte de quien eras, de que te diera vergüenza seguir viviendo.

No había ni rastro de Cecilia. Di una vuelta a la manzana y volví a la boca del metro. Nada. Y sí, sin embargo, un par de tipos trajeados y con el pelo muy corto. Guripas. Como periodista frecuentaba las comisarías; los guardias no se me despintaban. Fijo dos de la secreta, probablemente más, mejor camuflados. Eso quería decir que, si Cecilia era el objetivo de la operación, todavía no la habían cogido. Decidí alejarme unos trescientos pasos del metro y caminar en círculos por si la suerte hacía que me topara con ella de camino hacia nuestra cita y me diera tiempo a avisarla. Mientras lo hacía caí en la cuenta: ¡imbécil, si no te ha citado a una hora fija es que puede ver el metro desde una ventana! ¿Habría visto también a los policías? Cecilia tenía experiencia, mucha; de hecho llevaba con un arma en la mano desde finales de julio del 36; pero una cosa es combatir contra un enemigo más o menos uniformado y en su sitio y otra la clandestinidad, donde te puedes rozar con los que traen la muerte sin notarlo. Luego me tranquilicé un poco: Cecilia y Reyes también habían participado en operaciones especiales tras las líneas fascistas; de algo le serviría ahora. Me planté de nuevo en la boca del metropolitano. Que me pidan la documentación; si Cecilia llega mientras me preguntan comprenderá que la calle está tomada y se alejará. Que me pregunten: si cierro bien la trinchera para ocultar el cuello deshilachado del jersey, se tragarán que tengo algunos posibles y que me ha citado una vallecana porque le he prometido unas pesetas, «pocas» les diré con un guiño; los policías son tan cerdos como los demás y con pobres alrededor el sexo es siempre barato y fácil; y frecuente. Sobre todo, como coartada siempre cuela; cuanto más sórdido, más se lo tragan.

Me acodé con soltura, con la postura chulesca que me da la cojera y mi bien ensayada cara de golfo, en la barandilla de hierro forjado de la boca del subterráneo, pero ningún secreta pareció interesado en mí. Me frotaba las manos, daba zapatazos en el suelo para entonar los pies, miraba el reloj como si estuviera a punto de estallar una bomba, nada; cuando se quiere llamar la atención nadie se fija en ti. Y el sol, que ya había dado muestras de debilidad durante toda la jornada, salía echando leches por detrás de los edificios. En guerra, en ocasiones, a esa hora llegaba un termo. Salud y café. O casi. No importaba, con que estuviera caliente ya recordaba a casa. Y también que, aunque la soledad de los parapetos se te clavara en el estómago como una mala novia, todavía quedaba gente que se preocupaba por ti. Esa hora en que los áticos se llevan toda la luz que queda es la peor. Tal vez por eso es la que se ha elegido para que los obreros regresen en metro a sus casas, porque lo peor siempre te lleva a pensar que podría ser peor y así se consuelan y regresan mañana tranquilos al tajo. Comenzaron a salir más en cada convoy, las tarteras sonando en los talegos, agachándose algunos cuando localizaban una buena colilla en las ásperas escaleras, sonriendo si acaso sólo los jóvenes.

Entonces vi que un policía de uniforme se fijaba en mí. Cecilia ya no vendría, no tenía sentido que yo siguiera allí, pero se me había ido el santo al cielo. Como tantas veces. El guardia me hizo una seña para que le esperara y comenzó a acercarse, huraño, desconfiado, con la mano izquierda tirando de la solapa de la cartuchera. Pero antes de llegar a mí se detuvo, miró hacia un lado, hacia la calzada, como si le hubieran llamado, y se acercó a un coche aparcado. Un coche en el que, estúpido como soy, no me había fijado, un Packard blanco del 40. El policía se inclinó hacia la ventanilla delantera. Desde donde me encontraba no podía ver quién estaba al volante, aunque debía ser importante porque el guardia, con la cintura doblada, sin atreverse a erguirse, asentía con fuerza y señalaba con las manos a derecha e izquierda, como si estuviera explicando una dirección. Me miró, pero enseguida volvió a saludar a lo militar y con firmeza. Después se marchó en dirección contraria a la que traía, no sin antes mirarme con furia asesina. No le aguanté la mirada. Ya iba a entrar en el metro cuando escuché el motor del Packard poniéndose en marcha. Sé que me contradigo, pero el potente ronroneo de esos coches me transmite seguridad, aunque no tengo duda de que su propietario, sea quien sea, probablemente ni se detendría si me llevara por delante. Miré hacia el coche americano. En la ventanilla un rostro sonreía con los ojos fijos en mí o más bien, qué coño, se reía de mí, ostentosamente. Le conocía. Conocía a ese hombre. Había sido el verdugo de Reyes, el compañero de Cecilia, y ahora, evidentemente, iba a por ella. Es más, quería que yo supiera que iba a por ella.

7

El hombre del Packard se llamaba Eliseo Frutos y, aunque pueda parecer mentira cuando sabes lo bien que se desenvolvía con los guardias, había luchado en el lado republicano. Y bien. Con valentía y, lo que es más de agradecer, con eficacia, a pesar de que jamás integró a su partida en el Ejército Popular. Antes de la guerra ya había cumplido condena por el asesinato de dos curas; no consiguieron probarle el secuestro de un obispo. Independiente, ácrata, de la FAI, pasó la mayor parte de la contienda dando golpes de mano tras las líneas de los fascistas; otra temporada rematando en la raya de Francia a los que intentaban escapar con sus riquezas de la España revolucionaria y, por fin, en Madrid, casi al final, recabando fondos para... Ya contaré ese cuento. Es más urgente aclarar la pregunta que surge de inmediato: ¿por qué perseguía en el 44 a la gente de su bando? No a toda la gente de su bando. De su bando, sólo a Cecilia y a Reyes (Cecilia era comunista y Reyes de la CNT). ¿Por qué?

No puedo entrar en el alma del hombre, pero apostaría a que su historia es una más de las muchas que ha habido y habrá entre soldados licenciados o derrotados, que para la mayoría de ellos es casi lo mismo. Tienen un oficio aprendido, ya digo que, en el caso de Eliseo, bien aprendido, y se quedan sin batallas para ejercerlo. De algo hay que seguir viviendo. Si eso ha sido así a lo largo de la historia y en muchos países, en el nuestro y ahora, la situación era mucho más grave: el tipo de paz que han impuesto los fascistas les impide a los soldados vencidos incluso el intento de reinserción en la sociedad civil. ¿Qué hacer entonces? Eliseo eligió seguir matando gente; ahora por dinero. Probablemente él diría que seguía matando fascistas, porque es cierto que los que se matan entre sí por dinero suelen serlo. Tampoco para Eliseo la guerra terminaría nunca.

Eso deja sin explicar por qué perseguía a Cecilia y Reyes. Ahora lo cuento, pero adelanto que, como muchas otras veces en las miserables tierras de España, parecía que en el fondo era cuestión de lindes.

8*

Marzo del 39

Reyes empieza a jadear más rápido, más profundo, y cierra los ojos, que ha mantenido abiertos desde que la abrazara con fuerza, aún vestidos, mientras todavía Cecilia observaba los rincones oscuros de la habitación en busca de pelusas o cucarachas, ojos abiertos a pesar de los suspiros y el deseo de abandono. Reyes siempre hace el amor con los ojos abiertos, por lo menos hasta que deja de ser él y se convierte en un animal ansioso, firme, duro, concentrado, con los brazos que apoya en el colchón vibrantes como la soga tensa que saca un cadáver del río. Entonces desprecia cualquier peligro; lo que hace tan sólo unos minutos era una actitud vigilante y secos movimientos para orientar los oídos hacia un posible indicio de la presencia del enemigo, se convierte en ausencia, en potencia indiferente al miedo, en ensanchamiento, tanto que a veces, sobre todo

* Un poco más adelante, ya no falta mucho, se comprenderá cómo tengo datos para el relato que expongo a continuación.

cuando hacen el amor en el campo, más allá incluso de la primera línea, Cecilia espera que ruja, que lance un grito de macho y avise a los fascistas de su presencia, de su gozo, de su victoria. Pero mientras mantiene los ojos abiertos, mirándola, a pesar de la urgencia que le exige el celo, como si fuera ella lo único que vale la pena tocar, acariciar, besar, como si estuviera contemplando por primera vez algo muy grande, el mar desconocido, por ejemplo, con la misma cara de incredulidad en su suerte con la que pintan a los pastores que se topan en una gruta con vírgenes o dioses, entonces a Cecilia se le encoge el estómago, se le extiende el pecho, y hasta parece que se le alargan los brazos para abrazar y las piernas se le abren aún más para poder apretar con los talones y recibirlo más dentro. A Cecilia no le dan ganas de gritar, sino al contrario, le gustaría que un velo, la seda de un capullo les cubriera en ese instante y permanecer así apretados mucho tiempo, al menos de invierno a invierno, hasta que apareciera entre ellos, quién sabe, una mariposa que fuera de los dos.

—¿Qué crees? —pregunta Reyes, todavía encima de ella, con una sonrisa infantil.

—No lo sé. Puede.

Cecilia lamenta no tener ese sexto o séptimo sentido del que tan orgullosa se mostraba su madre y que le permitía saber siempre si se había quedado embarazada o no. La mujer decía que no le había fallado nunca. Un temblor en las vísceras, por aquí, decía tocándose el abdomen, un temblor que la primera vez se sabe que es de alegría, quizá también la segunda, pero que después ya no se sabe si es de alegría o de cansancio, como si las vísceras fueran segadores en junio, cuando ven acercarse los días polvorientos y agotadores de la siega y saben lo agotadores y polvorientos meses que vienen.

—Tú lo que quieres es repetir esto muchas veces —dice riendo Reyes mientras se echa a un lado y se acoda en la cama para alcanzar papel de liar y tabaco que tiene sobre la mesilla.

Pero Cecilia sabe que Reyes se siente triste, muy triste. No sólo por su respuesta ignorante, sería estúpido, sino porque, según va la guerra, estar todavía vivos es más de lo que podría esperarse y desea tener un hijo antes de que todo acabe.

Aunque Cecilia no los cree, hay rumores de que algunos militares, republicanos, algunos socialistas e incluso anarquistas quieren dar un golpe de Estado y tratar de negociar con Franco una rendición con condiciones. Y Franco no negociará ni dónde cavar las tumbas. Y la resistencia a muerte terminará de igual modo. O un poco mejor, quizá se salve más gente. Por eso precisamente están Cecilia y Reyes en Madrid en febrero del 39. Les han llamado para que organicen una de las partidas que deberán acosar a los fascistas, a los italianos que parece que marchan en cabeza, en tierras de Valencia, por donde la gente tendría que escapar, y retrasen lo más posible la toma de esa ciudad y de Alicante para que puedan salir, huir el mayor número posible de, ya serán entonces, refugiados. Mañana tienen que entrevistarse con un general del Partido Comunista para organizar a la gente, recibir armas y objetivos tácticos.

Reyes siempre se pone tristón después de hacer el amor, por lo menos en guerra. Y con ella sólo lo ha hecho en guerra. Y hoy es peor: porque ya hace más de tres meses que hicieron la promesa y ella no está embarazada, por la misión que les han encomendado, porque con toda probabilidad serán ellos los que no puedan llegar vivos a los puertos de Valencia y Alicante. Cecilia sabe que es en eso en lo que piensa Reyes mientras fuma a su lado, con los ojos fijos en el techo sucio de la habitación de pensión.

—Tú no vas a venir —dice Reyes repentinamente.

—No digas tonterías. Sabes perfectamente que en las reuniones me acuerdo de las cosas mucho mejor que tú. A ti se te olvida el santo y seña cada dos por tres.

—No estoy hablando de la reunión de mañana.

—Ya lo sé.

Cecilia sólo quiere ganar tiempo. No sabe qué hacer. Reyes tiene razón; si se han prometido sacar adelante, por encima de todo, a una criatura, ella, quizá ya preñada, no debería salir a enfrentarse con el enemigo y menos aún en una misión suicida.

—Y también sabes cómo va a ser —dice Reyes.

—No lo pienses.

—¡Cómo que no, cojones!

Reyes da un respingo y se sienta en el borde de la cama, desnudo, de espaldas a Cecilia, que sabía desde que empezaron a hablar, por los ojos de él, llenos de agua roja por el cansancio y la pena, que pronto ocultaría el rostro.

—¿En qué quieres que piense? ¿En que termina la guerra, o mejor, en que no ha habido guerra, y que los dos trabajamos, tú dando clase, yo en una fábrica, o en el campo y que volvemos los dos cada tarde a casa, sonrientes, para criar un par de muchachos sanos, inteligentes?

—¿Por qué no? Pensar no hace daño.

—Podías haber dicho «soñar», que es mucho más cursi.

—Por eso no lo he dicho.

—Se acabó, coño, se acabó.

—Si se acabó, ¿para qué vas a volver a la sierra a seguir pegando tiros?

—Para que tú puedas llegar a Valencia y coger un barco y largarte de esta tierra de hijoputas.

—Oh, el único héroe y el único hijo de madre santa.

—No me líes.

—Voy a ir. Vamos a ir el héroe y yo, juntos, como siempre.

—¿Quieres darte cuenta de una puta vez que no lo hago por ti? ¡Que me estoy protegiendo yo mismo! ¡Que no quiero ser el que tenga que dejarte muerta en un rastrojo!

—Yo me sentiría muerta igual esperando el barco mientras en el rastrojo estás tú. ¿Adónde iría además?

—¿Quién es ahora la heroína?

—Sabes lo que quiero decir. No somos otra cosa, Reyes. Somos lo que somos. Nos conocimos así, con la posibilidad del rastrojo, así hemos vivido. No me vengas con blandenguerías a última hora.

—¡Haz lo que te salga de los cojones!

Reyes se ha puesto en pie y ha comenzado a vestirse.

—Alguna vez me dijiste que por eso luchábamos.

—Voy a dar una vuelta; hace mucho que no paseo por Madrid —dice Reyes para terminar con la discusión.

—A lo mejor yo también.

Pero Reyes no llega a salir. Cuando ya se ha puesto la zamarra y duda entre despedirse con un beso o mantener el enfado, llaman a la puerta. Los dos se llevan la mano a la cadera instintivamente, en busca de la pistola. Al comprender que están en Madrid y no en el frente se miran y terminan riendo. Cecilia se pone las bragas y un tres cuartos apresuradamente. Reyes abre.

—Os quieren ver en Lista ahora mismo —avisa, exige, un chaval muy serio que no llegará a los diecisiete años mientras enseña un carné del Partido Comunista.

—¿A los dos? —pregunta Reyes.

—Como siempre, camarada, como siempre —dice Cecilia contestando ella misma a la pregunta. Y sonríe.

En Lista se reúnen los miembros del Partido encargados de la dirección de la guerra. Es lo único que saben, porque el chico no volverá a abrir la boca hasta que sea absolutamente necesario para evitar un control de los golpistas de Casado. Al bajar las escaleras tras el guía, Cecilia se fija en el bulto que le hace al chaval en la espalda una pistola y se lo señala a Reyes, que asiente como si ya lo supiera y se toca en el mismo lugar para indicarle a ella que él también va armado y en guardia. Cecilia no ha dicho nada, pero carga en el bolso con una Luger, un trofeo que le arrancó a un cadáver alemán y que le gusta de puro fea. Porque ya no pueden estar tranquilos ni en Madrid, piensa Cecilia. Y todavía no sabe las dimensiones verdaderas de lo que está sucediendo. Frente al portal de la calle del Clavel espera un Citroën conducido por una mujer. Ningún distintivo, ninguna bandera, ninguna frase o sigla pintada a brochazos anchos en la carrocería. Esto sí es una novedad.

—No voy a subir a ese coche si alguien no me dice lo que pasa y se identifica mejor.

—¿Qué te pasa, mujer? —pregunta Reyes un tanto avergonzado.

—Me huele mal todo. ¿Por qué este coche no está identificado como del Partido? ¿No te has dado cuenta?

—Quizá es en deferencia a mi organización —dice Reyes con ironía—. Tú y yo no somos un grupo del Partido. A lo mejor ni nos consideran grupo.

De repente se escuchan una, dos, tres ráfagas de ametralladora, hacia abajo, hacia Cibeles y el Ministerio del Ejército. Reyes saca un revólver de la espalda y se lo pone al muchacho en la sien.

—El frente está hacia el otro lado —dice amenazador con referencia a los disparos.

El chico está muerto de miedo, pero procura ocultarlo. ¿Qué nos pasa a los españoles?, piensa Cecilia: ese muchacho está a punto de morir pero sigue sintiendo vergüenza por tener miedo.

Pero el chico no habla. Es a la conductora a la que ven sonreír y apearse del auto.

—Estaba a dos metros de ti en Guadarrama, en julio del 36 —le dice a Cecilia—. Cuando Modesto te dijo que eras todavía más valiente que guapa.

Reyes mira a Cecilia para que confirme esa extraña identificación y, cuando ésta asiente, suelta al chaval. Aunque, todavía con la pistola a la altura de la cintura, pregunta:

—¿Qué está pasando? ¿Qué son esos disparos?

—Casado, con Besteiro y un ministro de la CNT han dado un golpe —responde la conductora—. Negrín está en algún lugar del camino de Valencia, sin mando. Han empezado a detener comunistas. Aquí en Madrid por lo menos.

—¿Han contactado con Franco? —pregunta Cecilia.

—Eso dice Casado. Por lo visto le ha exigido que cuando entre respete al menos las vidas.

—Y le ha pedido a cambio comunistas, claro.

—Es mejor que nos vayamos —dice la chica encogiéndose de hombros.

Los cuatro suben al coche.

—No bajes por la Gran Vía; hay un control. Callejea hasta Fuencarral y luego coges los bulevares y pasamos por Recoletos —ordena el muchacho muy seguro de sí.

La chica arranca y, como no hay apenas gente por las calles, puede conducir a todo lo que da el coche. Vuelven a escucharse ráfagas aisladas, como si fueran soldados borrachos los que disparan. Y puede que así sea. Borracho hay que estar para dividir ahora las fuerzas populares. Es entregarles Madrid en bandeja, es entregarles las cabezas de los madrileños en bandeja.

Reyes no ha abierto la boca desde que les dieron las novedades. Cecilia ve de nuevo el agua roja en sus ojos. Los hombres tras casi tres años de guerra. Este hombre. Cada día más rápido, más fuerte, más animal, cada día un animal más perfecto, más flexible y eficaz causando la muerte. Y cada día con la lágrima más pronta. Cecilia le coge el papel de fumar y la petaca para liarle un cigarrillo;

a Reyes le tiemblan tanto las manos que apenas puede. Rabia, odio, desconcierto, impotencia.

Ella también tiene ganas de llorar, qué coño. Cómo no va a tener ganas de llorar cuando entran en la glorieta de Bilbao y se ve allí mismo, poco más de dos años antes, subida a un camión con las siglas de la Unidad de Hermanos Proletarios y llena de esperanza de camino a la sierra; o se ve un poco más allá, en un palacete de Marqués de Riera incautado, donde asiste a un curso de formación para la guerrilla pero donde de lo que más se habla es de cómo se van a organizar la producción, la distribución, las relaciones de pareja y la educación de los niños en la sociedad revolucionaria; o del primer permiso que le dieron después de conocer a Reyes, que venía nerviosito el pobre porque aun cuando dos noches antes se habían alejado unos metros de la trinchera para hacer el amor él no había podido, y ahora para ese permiso ha conseguido las llaves de un piso en la calle de Torrijos, bien cerquita de por donde circula el coche en ese momento, y cree que podrá por fin demostrar lo mucho que la quiere, y cuando llegaron al piso había dos americanos más que bebidos y gritando que querían morir como españoles para que en su país aprendieran a hacer revoluciones como españoles, y Reyes les dijo que los españoles precisamente no querían morir sino vivir y disfrutar de la revolución por los siglos de los siglos y ellos les dieron una botella de vino que metieron a la habitación y ahí sí, la primera vez que se vieron desnudos, se amaron como dicen que lo hacen en el paraíso, porque eso era todavía entonces el Madrid esperanzado. Para ellos. A pesar de los combates, a pesar de estar en primera línea. La esperanza. Para ellos. Para todos. Cómo no va a tener ganas de llorar ahora.

Cómo no va a tener Cecilia ganas de llorar si, como dice Reyes aunque ella le discuta, se acabó, coño, se acabó.

Llegan a Lista. El muchacho, la mano derecha en la espalda tocando el fusco, les hace un gesto para que esperen a que eche un vistazo. La calle está tranquila. Pueden apearse y entrar al portal. La joven del auto les guía. Dentro, dos hombres de pie hablan de montar barricadas en los extremos de la calle. A uno Cecilia y Reyes le conocen; también de los primeros días en la sierra; ahora es capitán. En cuanto les ve, Duarte sonríe y va a recibirles.

—Todavía en la brecha, camaradas —dice antes de abrazar a Reyes y besar a Cecilia.

—Reyes sigue sin ser camarada.

—No importa —replica Duarte forzando una sonrisa.

—¡Qué amabilidad! —dice Reyes con sorna—. Eso quiere decir que me vas a pedir que salga ahí fuera.

—Tenemos trabajo para vosotros, sí. Vamos a un despacho.

—¿Cómo sabías que estábamos en Madrid? —pregunta Reyes.

—Porque hasta ayer organizaba la posible evacuación…

—La evacuación —precisa Reyes.

—Hasta ayer estaba en el Estado Mayor organizando la… evacuación. Yo era uno de los que teníais que ver mañana. Pero lo de Valencia sigue en pie, ¿eh? Esta locura no puede durar. Y habrá que sacar a la gente igual.

—¿Y hoy qué?

Duarte les explica que se combate por las calles, que hay controles, barricadas, que los golpistas están deteniendo comunistas, pero nosotros, dice, también estamos sacando de la calle a muchos, que puede que Negrín esté negociando por teléfono con Casado y Besteiro, pero que no queda mucha esperanza. Otra vez la esperanza. Antes todo era esperanza, ahora ni la más pequeña; hasta los camaradas, se dice Cecilia. Y Duarte por fin explica lo que quieren de ellos: un camarada del Central ha montado una reunión con un grupo de socialistas y anarquistas que no se han sumado al golpe; quizá si unen esfuerzos con ellos todavía será posible darle la vuelta a la situación. La reunión se tiene que celebrar esta noche, a las diez; y necesita protección; no por la reunión en sí, sino para atravesar Madrid sin ser detenido; será muy peligroso porque van a parar todo lo que se mueva; en los alrededores del local de la reunión, allá por la carretera de Aragón, habrá puestos nuestros, dice; lo vuestro es sólo llegar y volver con el camarada sano y salvo.

—No dudéis en disparar por las insignias que lleven.

—No son fascistas —dice Reyes abrumado por la tarea.

—Nos han matado ya a unos cuantos que no se decidieron a tirar. ¿Lo hacéis o no?

Reyes mira a Cecilia para consultar, pero Cecilia ya está asintiendo.

—A las nueve aquí. Que no se os vea mucho por las calles.

Dejan correr el resto de la tarde en un café de la plaza de Manuel Becerra. Apenas hablan. Desde detrás de las lunas observan extraños movimientos de tropas, extraños porque ni se dirigen a los frentes de la Ciudad Universitaria, de la carretera de Burgos o a la línea sur, ni vienen de ellos; son tropas que van a crear sus propios frentes dentro de Madrid; y los fascistas riéndose: no han atacado en todo el día para permitir que los republicanos se maten entre sí con toda tranquilidad. De vez en cuando cruzan muy deprisa la plaza vehículos de cruz roja de hirientes sirenas y otros que hacen sonar el claxon y ondear prendas de vestir; se dirigen al Gran Hospital de Diego de León. También, con una frecuencia que ellos quieren creer cotidiana, pasan coches fúnebres en dirección al Cementerio del Este. La mirada de Reyes parece contabilizar y valorar este tipo de acontecimientos, pero Cecilia sabe que no atraviesa las ventanas, que se queda más cerca, justo en el cristal, esperando que con las luces que se van encendiendo en el exterior comience a reflejar su imagen y la de ella, leves, transparentes, vulnerables, más pálidos de lo que en realidad están. Derrotados, diría él si se decidiera a hablar, para no decir muertos. Pero no lo hace y los dos ven cómo la lluvia fina que empieza a caer llena primero sus reflejos de lágrimas, luego de granos, que más tarde se deshacen en hilillos negros de hollín, licuados.

—Si no te hubiera conocido —dice Reyes sin mirarla—, si no nos hubieran cogido para las fuerzas especiales, muy probablemente yo estaría en uno de esos controles que nos vamos a tener que saltar esta noche.

—Tú tienes más cabeza.

—No. Yo hago lo que me mandan.

—Pero sabes por qué.

—Ellos también creen saberlo.

—¿Vas a tirar o no?

Reyes asiente, pero ha tardado en hacerlo.

A las nueve y diez, de nuevo en Lista, mientras el camarada al que tiene que proteger está reunido en el piso de arriba, Duarte les entrega unos naranjeros y la munición.

—Pistola no necesitáis, claro.

Los dos niegan señalando la que calzan.

—Tomad un café. Ahora os aviso.

Cuando les dejan solos en un despacho donde hay un infiernillo y una cafetera, Cecilia sabe que tiene la última oportunidad de liberar a Reyes.

—Diles que no vas.

—Pero tú sí, ¿no?

—Yo no tengo dudas de que hay que hacerlo.

—¿Te das cuenta de que es como si nos peleáramos tú y yo? ¿Qué? ¿Te toca en la barricada de enfrente y te disparo?

Cecilia sabe que es verdad, que con algunos de los que montan guardia y cortan las calles esta noche habrán ellos comido barro, lavado camisas llenas de sangre, habrán saltado gritando de alguna trinchera o le habrán llamado cabrón por agacharse y cagar muy cerca del puesto.

Reyes le ha servido un café y ahora se lo ofrece. Cecilia se fija en sus patas de gallo, profundas como un zarpazo, y en el diente que tiene roto. Y en su pelo negro, denso, despeinado, lo único que le queda de joven en todo su rostro. Reyes va a cumplir treinta y dos en marzo, dos más que ella, y todo lo que no sea pelo, incluidos los gestos, es de viejo; hasta sus ojos, que en el 36 derrochaban brillo. Cecilia sabe lo que le ha pasado: desde que supieron que la guerra se había perdido sólo la ve a ella; lo demás, por lo que antes ofreció su vida en un montón de ocasiones, es sólo un marco sucio donde está ella y no debería estar. Seguirá obedeciendo, seguirá disparando si le sirve a ella; se la jugará por evacuar, si la evacua a ella. Pero no va a matar a compañeros si no la amenazan a ella.

Cecilia también sabe que sólo permaneciendo disciplinados, fieles al gobierno elegido de la República conseguirán lo que a estas alturas se puede conseguir: que los soldados que se han quedado en los puestos hasta el último momento, que las mujeres y los hombres y los niños que se han quedado en la retaguardia hasta el último momento, puedan o al menos intenten salir de España y no terminar con un tiro en la nuca en cualquier cuneta.

—No voy a estar en la barricada de enfrente. Voy a estar a tu lado.

—¿Y si yo no voy?

—Me quedo contigo. Y también me quedaré cuando entre Franco. Eso es lo que quieren los que se han alzado.

—Prométeme entonces que, cuando terminemos con esto, te vienes conmigo a Valencia y haces lo que yo diga.

Se están besando cuando entra Duarte con el camarada. Nadie les da su nombre.

Conduce la misma chica que les ha traído hasta Lista. Junto a ella sube Reyes; detrás, el camarada y Cecilia. Cuando el hombre interrumpió junto a Duarte su beso, Cecilia había creído que era Santiago Álvarez, a quien había visto una vez siendo comisario, en un asalto en el Jarama. Tiene su misma corta estatura, su sonrisa amable, sus ojos duros y algo de acento gallego. La sacó de su error el propio camarada, cuando le dijo lo que decían todos: pocas mujeres habían quedado en unidades de combate, las admiraba; pero se notaba que no se sentía cómodo. Álvarez no habría hecho diferencia alguna. Después el hombre no vuelve a hablar. Parece muy nervioso. Se nota que no está acostumbrado a ser objetivo de una bala.

—Agáchate, camarada —le ordena Cecilia—, que no te asome la cabeza.

El hombre obedece sin rechistar. Cecilia quiere que se olvide de la obligación de ser valiente; les hará la cosa mucho más fácil a todos. Al salir a la calle de Alcalá, Cecilia y Reyes montan sus naranjeros. El hombre se encoge más. En Ventas, junto a la plaza de toros, hay un control, pero es leal al gobierno de Negrín. Se identifican y pasan sin ni siquiera perder mucho tiempo. No vuelven a encontrar obstáculos hasta llegar a Ciudad Lineal.

Reyes señala doscientos metros antes el farol que oscila; lo sostiene y mueve un hombre armado.

—Nos están esperando —dice Cecilia.

—Puede que no. Han visto los faros y han salido a la calzada —responde Reyes.

—Acelera, no te pares —le dice Cecilia a la conductora.

—¡No, no, no! —grita Reyes—. ¡Vamos a ver qué dicen! Que se esconda el camarada. Yo tengo el carné de la CNT.

—Es más que probable que sepan que lo llevamos.

—¿Qué hago? —grita asustada la chica.

—Párate a cincuenta metros —le dice Reyes—. Me bajo yo y veo qué quieren.

—¡Y una mierda! —dice Cecilia.

—¿Le vas a dejar solo? —pregunta Reyes señalando al camarada agazapado.

—Cuando te pares —le dice Cecilia a la chica—, lo haces a la derecha, lo más pegada a la cuneta que puedas, para que al coche le quede espacio para dar media vuelta sin maniobras. Si ves que caemos alguno de los dos, te largas.

Antes, muy pocos meses antes, esa decisión de Cecilia de acompañarle al lugar del jaleo habría hecho sonreír a Reyes de orgullo, aún sin mostrarlo. Hoy, Cecilia ve cómo sus manos se aferran tanto al naranjero que los nudillos se le ponen blancos.

—Si yo alzo la mano izquierda, te acercas y nos recoges sin detener el auto —le dice Reyes a la conductora mientras gira el picaporte y abre la puerta.

Cecilia y Reyes se apean y caminan despacio hacia el control.

—¿Por qué no os acercáis con el coche? —escucha decir Cecilia al hombre del farol.

—Queremos saber antes quiénes sois; nos han dicho en el Ministerio que hay quintacolumnistas que aprovechan el jaleo para robar coches y largarse a recibir a Franco —dice con voz muy tranquila Reyes.

—Acercaos —dice el del farol.

Cecilia ve que son cinco, dos a cada lado de la carretera, más el del farol. Dos con fusiles ametralladores; los otros tres con armas cortas.

—Quedaos con éstos, que yo voy a mirar en el coche —dice el del farol a sus compañeros.

Reyes duda, Cecilia nota que duda; debería disparar y no lo hace. Cecilia alza el brazo izquierdo para que el coche les recoja en marcha y con el derecho abre fuego. Con el rabillo del ojo tiene a Reyes desenfocado y respira aliviada cuando ve que alza su naranjero y se encarga de los dos que ella no tiene a tiro. Los hombres gritan y dos caen al suelo. El auto se acerca. Cecilia retrocede unos pasos sin dejar de disparar. Reyes, al contrario, avanza hacia los que no han caído. El del farol tiene que dar un salto para no ser atropellado. El coche llega a la altura de Cecilia, que se sube al estribo.

—¡Más deprisa, joder, más deprisa! —le grita Cecilia a la conductora.

El del farol abandona y corre carretera de Aragón abajo, hacia Alcalá. Reyes remata a los dos que quedan vivos y se sube al otro estribo. Adelante, camino expedito. El camarada llega a su reunión puntual.

Dos de los del control, dos de los muertos, se apellidan Frutos. Como Eliseo. Eran su padre y su hermano.

Eliseo Frutos nunca terminará de creer que fue un acto de guerra, mala suerte. La razón es que Eliseo y Reyes eran del mismo pueblo conquense y sus padres tenían pequeñas parcelas limítrofes con lindes siempre disputadas. Para Eliseo, Reyes se estaba asegurando sus tierras y quitándose problemas de cara a la paz que vendría después; decidió que fuera esa paz como fuese, ni Reyes ni Cecilia la disfrutaran. Otros también estaban en ello.

9

Sin dejar de mirarme, Eliseo arrojó la colilla por la ventanilla del Packard y arrancó. Ya había cerrado la última noche de diciembre. Debería ponerme a buscar a Cecilia, pero a esas horas no podía ir preguntando casa por casa en cada uno de los edificios desde los que podía verse la boca de metro de Vallecas. No es que fueran a estar cenando a mandíbula batiente y cantando villancicos; a lo mejor, algunas familias hasta agradecían que se les interrumpiera la Nochevieja para dejar de acordarse de otras más afortunadas, sobre todo con más miembros. Pero un hombre con trinchera siempre ha inquietado en ese barrio pasada la puesta del sol. Mejor para mañana. Y aun así...

Regresé en subterráneo al centro. A esas horas, cerca de las nueve, los vagones iban casi vacíos. En el mío, cuatro chavales, ninguno mayor de doce años, sentados y cubiertos con mantas formando figuras cónicas, como de pastor trashumante o de india chiricagua, aprovechaban la relajación de la vigilancia que el fin de año consentía para aguantar al calor de la madriguera de túneles hasta que cerrara el metro; después, supongo, serían de los que dormían en alguno de los edificios de Mataderos que todavía permanecían en ruinas; sus padres, muertos o en la cárcel. Los periódicos solían llamarles banda.

Salí a la calle en Bilbao. Durante el trayecto había pensado no dar por perdida la noche y tratar de averiguar algo más de lo que ya sabía acerca de Eliseo Frutos, de su situación actual. El mejor para informarme era Bienvenido Pavón, digamos que mi jefe. Probablemente el gordo cabrón, solitario y tacaño como era, cenaría esta noche en el Quito, muy cerca, en una de las calles que bajan de Chueca a Fernando VI. El grueso del gasto lo haría después en copas y putas. Su último Año Nuevo duró tres días. Si notan algo de inquina es porque yo escribo los artículos que él firma, si bien es verdad que la mayoría de las veces, aunque tarde, paga.

Cenaba en la mesa del rincón, su preferida. Desde allí podía ver el local casi completo; sólo se le escapaba el último extremo del palo corto de la ele que forma el comedor; también era cotilla. Llevaba una servilleta bien remetida entre su cuello y el de la camisa para proteger el azul dicen que obrero de la prenda. Pavón no era falangista, pero sí uno de esos que no encuentran en absoluto indecente hacerse pasar por lo que no son, que lo consideran normal y hasta obligado. Por el contrario, piensan que eres un imbécil y que vas contra el instinto de supervivencia de la especie humana si te andas con monsergas y estás, si no dispuesto, que nunca se está, si bien resignado a sufrir calamidades con tal de seguir pensando y comportándote como crees que es debido. O sea, Pavón era un jeta. Malhablado, putañero y descreído, era tan hipócrita que, para indicar en un artículo el colmo de la indignación, me obligaba a escribir «¡me caso en diez!», a negar con furia editorial la evidencia de que había putas en locales de postín y a escribir periódicamente treinta líneas de devoción arrebatada que, una vez publicadas y cobradas, pinchaba el muy ladino en la capilla del Cristo de Medinaceli los últimos viernes de cada marzo. Ése era Bienvenido Pavón, el periodista, el que flotaba en cualquier fango, el que me había visto nada más entrar al Quito y me recibía con una sonrisa, sabedor de que, como no teníamos cuentas pendientes, mi presencia allí sólo podía significarle una invitación a cambio de más trabajo o un favor que también se cobraría en páginas.

—¡Vámonos de putas! —exclamó cuando a los postres le pregunté por Eliseo.

Adiós a mis treinta y tantas… a mis veintitantas pesetas, que la cena de los dos me costó doce y eso que yo me había conformado con un hervido de patatas y cebolla.

10

Caminamos, cómo no, hasta Chicote. Pavón quería exhibirse a mi costa. Le encantaba figurar, codearse con los potentados golferas, parecer uno de ellos, y andar entre putas de postín. El local estaba hasta los topes de ellos y de ellas. Por suerte, la visión de aquellos culos imperiales sobre el pedestal del taburete sólo era para Pavón un ejercicio de calentamiento; a él los culos que le gustaban de verdad eran los que se arrastraban por los descampados de Ventas o La Elipa, los culos hambrientos y sumisos, los únicos que, incluso cuando no iba disfrazado de falangista, le trataban de señor. Aun así, sólo por alardear, los dos cócteles que nos tomamos me costaron mis buenas ocho pesetas. Fueron dos Madrid Fútbol Club que, según Pavón, estaban de moda: media copa de ginebra, media de vermú italiano, una cucharadita de Dubonnet y unas gotas de curaçao blanco. El no va más de la sofisticación y el empalago. Pavón, acodado en la barra y bien derecho, levantaba con dos dedos la copa y sonreía con mansedumbre a la parroquia, subyugado; pugnaba por sentirse de ellos, como ellos. Les gritó a un par de conocidos las felices pascuas, pero apenas le devolvieron el saludo con la mano.

—Vámonos a otro sitio, que aquí están lelos —me dijo mientras, desencantado y humillado, tomaba el camino de la puerta.

—¡Espera! Me has prometido contarme lo que sabes de Eliseo Frutos.

—¡Cállate, bocazas! —respondió mirando alrededor bastante asustado.

Y se apresuró a girar en las puertas de aspa con un enfurruñamiento infantil.

En la acera de la Gran Vía, ahora avenida de José Antonio, dos muchachos con la cara sucia, pies envueltos en trapos, abrigos de tallas más grandes y valentía por cuatro nos abordaron. Estaban allí para encauzar borrachos.

—¿Quieren ir a una casa que queda bien cerquita donde se recenan unos huevos con chorizo que tiembla el misterio?

Vi peligrar mi resto de tres duros. Luego escuché con una mezcla de vergüenza y de alivio:

—¡Qué huevos ni qué cojones! ¡Huevos ya tengo yo para dar y tomar! ¡De lo que estoy hasta los huevos es de estraperlistas!

Llamaba Pavón estraperlistas a estos chavales cuando no hacía ni un minuto había intentado hacerse pasar por uno bien cargado en la barra de la guarida de Alí Babá. Los dos muchachos rieron: como éste debían de torear a docenas cada noche.

—Entonces a lo mejor al señor le apetecen más mis primas.

—¿También aquí al lado? —preguntó Pavón con rijo.

Mi resto de tres duros se esfumaba.

—Al lado y de frente —contestó un chaval en una de esas frases sin sentido que manejan sin igual los profesionales de la lujuria.

—Y por detrás —secundó el segundo, con aire evidente de haberlas catado.

—¿Cuánto?

Adiós.

—Catorce pesetas cada uno.

—No, yo no… —dije y me arrepentí de haber intentado una excusa.

—¡Joder, no seas meapilas, Jarabito! Yo, si no me desahogo, es que ni hablo. De lo único que me dan ganas es de irme a casa.

—Pero te acompaño, hombre, te espero —me apresuré a aclarar.

Los chicos extendieron rápidamente sus manos. Yo iba a pagar pero Pavón me sujetó del brazo.

—No, luego, cuando veamos el paño.

La casa estaba en Valverde y se entraba a ella por una vaquería.

—Coño, qué buen camuflaje —dijo Pavón husmeando, me pareció, con delectación.

—Sí, a los guardias no se les debe ni pasar por la cabeza.

—¡Qué guardias! Me refiero a que con este olor las putas no tienen que lavarse tanto.

Los dos chicos, que nos precedían, rieron: el olor del dinero les había liberado los labios. Cuando subimos las escaleras evité tocar el pasamanos. Y tampoco toqué el hule con rodales de grasa que cubría la mesa camilla del recibidor. Ni el vaso con aguardiente que me ofrecieron mientras Pavón se metía en una de las habitaciones con una morochita que se hacía la andaluza. Hasta me cuidé de rozar las manos sucias de los mocosos cuando me pidieron el dinero convencidos de que, como así fue, Pavón saldría satisfecho, con una sonrisa amarilla y con el meñique de la derecha sacando cerumen de su oreja; lo que ni siquiera aquellos aprendices de chulos hechos a todo pudieron predecir es que traería además un mondadientes colgando de los labios. ¿Un mondadientes? ¿Para qué?

Cuando salimos de nuevo a la Gran Vía Pavón era otro; hasta su visión del mundo había cambiado. Mientras bajábamos por Montera hacia Sol me dijo con tristeza:

—Yo qué sé, chico. Ya sabes lo que dicen: cuando las ganas de joder aprietan, ni los vivos ni los muertos se respetan. Por eso me pongo tan gilipollas. Por eso, probablemente, me pongo esta camisa azul y voy de gallito. Pero, coño, después… me da una pena tan grande esta ciudad ahora…

No voy a decir que me conmoviera, porque el gordo cabrón, quizá porque casi siempre tenía ganas de joder, no respetaba a nadie, pero sí me hizo concebir alguna esperanza de que me ayudaría con ganas.

—¿Me cuentas lo de Eliseo Frutos?

—Ahora, cuando lleguemos a un tablao que hay ahí, por los alrededores de Amor de Dios.

—Yo ya no tengo más cuartos —le dije con mal tono.

—El fino lo pago yo, que es Nochevieja.

Lo que viene a continuación es lo que contó Pavón sobre Eliseo Frutos, aunque escrito por mí, como casi todo lo que el gordo cabrón vendía.

11

Cuando el coche, un Packard blanco del 40, llegó al final de López de Hoyos y giró a la izquierda, Eliseo Frutos salió de su modorra y apoyó los brazos en el respaldo del asiento delantero. Al volante, Lolo, y a la derecha de éste Padilla. No habían hablado mucho durante el trayecto y eso que solían andar siempre haciendo chistes malos y riendo; quizá sabían que Eliseo necesitaba descansar.

—¿Ésta es la avenida de Alfonso XIII? —preguntó Eliseo.

—Aquí empieza, sí.

—Antes se llamaba Carlos Marx, ¿no?

Lolo y Padilla rieron.

—¿De qué coño os reís?

—Nosotros intentamos en una asamblea que le cambiaran el nombre por avenida de Kropotkin y los compañeros se negaron —aclaró Padilla.

—Un gilipollas dijo que Kropotkin además de anarquista era príncipe y que para qué íbamos a cambiar un Borbón por un príncipe ruso en las placas de la calle. Sólo para gastar, dijo otro. Y nos olvidamos del asunto.

Eliseo rió también y enseguida:

—Lolo, antes de llegar al número apaga las luces y deja que nos deslicemos en punto muerto. Si puedes no pongas el freno de mano y, si lo pones, sin ruido.

—¿No entramos nada más llegar?

—No, dejadme un rato.

Volvió a apoyar la cabeza en el cristal de la ventanilla y cerró los ojos. Iban a matar a un hombre y ni siquiera necesitaba inspeccionar el terreno. Ya no.

Eliseo había conocido esa calle durante la guerra, casi al final, cuando todavía se llamaba avenida de Carlos Marx. En una de las casitas de dos pisos de la acera de los pares, en la colonia, como llamaban al barrio, tenía una novia. Puede que se llamara Cristina. Se quedó muchas noches a dormir con ella. Entonces apenas iba ya por el frente, ni siquiera para fichar y dejarse ver. Lo que tantos otros negaban, y siguieron negando hasta verse en un penal o en una plaza de toros con ametralladoras apuntándoles desde los tendidos, él lo supo ya para enero del 39: la guerra estaba perdida. Claro que… muchos de esos genios de la política seguían pensando todavía hoy… que si Hitler perdía… Y Hitler estaba ya perdido, pero la guerra, la nuestra, la de España había terminado en enero del 39, ni siquiera en abril.

Por eso Eliseo dio en febrero su primer palo descaradamente en beneficio propio. Ahora lo recordaba con nostalgia: fue en una colonia parecida a ésta, por Chamartín de la Rosa, casitas de dos pisos, chalés, con imprentas y comités dentro.

¡Cuántos periódicos y cuántos comités! Un periódico por cada columna, por cada regimiento; a veces una compañía editaba un periódico. Y los milicianos, después los soldados, los leían, coño. Envolvían también la comida y se limpiaban el culo con ellos, pero antes los leían. A Eliseo Frutos se le ensanchaba el pecho de orgullo, al principio, cuando veía a un muchacho que acababa de aprender las primeras letras, probablemente en el mismo frente en los ratos en que no apretaban los tiros, cuando veía al muchacho, digo, tragarse un editorial de *Mundo Obrero* o de la *Soli* buscando comprender por qué dentro de un momento iba a sacar la cabeza de la puta trinchera para que se la volaran. Aunque, comprender comprendían, saber lo sabían ya desde que se presentaban voluntarios en las sedes de los partidos y los sindicatos, voluntarios para subirse a un camión, quizá esa misma tarde, y salir para la sierra, a veces sin fusil: podía escribirse de muchas maneras, más fáciles o menos, pero sabían que luchaban por ellos, para ellos, para que nadie decidiera nunca más llevarles a una trinchera y pelear por otros, para otros.

Y comités. Mesas llenas de periódicos o de partes de guerra o de estadillos de abastos, o de presupuestos de cualquier institución, siempre papeles por los que moría gente, tazas de café o de algo que se le pareciera, pistolas y revólveres, gorras, cascos, cajetillas de pitillos rusos o petacas de picadura canaria, mapas, algunos con manchas de sangre que confundían al estratega, vasos de coñac o vodka o aguardiente de uva; y a su alrededor hombres, a veces mujeres, con las camisas sucias, sudadas, rotas, o con corbata y trajes brillantes por el uso, arrugados de no haber dormido o haber dormido con ellos puestos, o con monos desgarrados, con los correajes pelados, y más armas en las cartucheras, en los bolsillos, en bandolera, pero siempre hombres, a veces mujeres, por los que moría gente. También palmaban ellos en ocasiones. Para los que pensaban como Eliseo, lo malo era que todos los comités se parecían y resultaba muy difícil discernir cuáles de ellos eran útiles y cuáles servían sólo para que los que estaban alrededor de la mesa no tuvieran que acudir al frente. Por eso les resultaba a los mandos tan difícil elegir un enlace. Los enlaces tenían que ser de mucha confianza porque iban del frente a los comités, a muchos comités, y de los comités al frente y veían de todo sobre las mesas y alrededor de las mesas; veían tanto que, si no tenían una sólida base política o una lealtad a prueba de envidia, podían en cualquier momento mandar todo a tomar por culo y no volver a acercarse a donde la gente moría.

En febrero del 39 dio el primer palo. Con Padilla; Lolo estaba en el Gran Hospital de Diego de León recuperándose de un tiro en el hígado.

Precisamente Lolo le sacó de su ensoñación cuando apagó el motor y el coche siguió rodando. Ese tramo de la calle estaba en obras y habían levantado el asfalto; daba gusto escuchar el rodar de los anchos neumáticos del Packard sobre la grava, sonaba a poder, a riqueza, a que una mujer de bandera esperaba que llegaras y la abrazaras. De algunos de los chalés salía música de jazz, de otros voces y risas. Luz de muy pocos y era de vela. Probablemente un corte de fluido. Hubo momentos durante esa época en que los apagones se sucedían tan a menudo que ya no sabías si esto era un país o el tren de la bruja.

—La casita que buscamos no da a la avenida. Está en segunda fila —dijo Padilla iluminando con la linterna un croquis dibujado en una servilleta de hilo del Palace.

—Apaga eso y dejadme un rato, anda —dijo Eliseo en tono amable.

—No me jodas que vas a echarte un sueño ahora —refunfuñó Lolo. Aunque Eliseo no podía verle la cara, supo que estaba mirando a Padilla y que los dos sonreían.

Ahora vendría algún chiste sobre la edad que no perdona. Pero no. Lolo encendió un cigarrillo.

—¡Joder, apaga eso, que nos van a ver! —dijo Padilla, casi susurrando.

—¡Venga ya! —rió Lolo—. O sea que el jefe se pone a echar un sueñecito en la misma puerta del objetivo y nos van a trincar porque yo, que he fumado a cincuenta metros de los lejías, me encienda un cigarro.

—Callaos un poco —dijo Eliseo, con un tono más de ruego que de otra cosa.

Lolo le pasó un pitillo a Padilla, quien lo encendió, es verdad, sin que la llama se viera ni aun dentro del auto.

Eliseo volvió a sus recuerdos. Fue en una colonia parecida a ésta, por Chamartín de la Rosa, casitas de dos pisos, chalés, con imprentas y comités dentro. El primer golpe descaradamente para ellos, por dinero. Con la guerra perdida, el enemigo detrás y por delante toda una vida por vivir.

Los fascistas arrollando, comiéndose pueblos y ciudades y cagando cadáveres, como esas orugas que avanzan siempre y siempre comiendo, sin detenerse, y les puedes seguir la pista por el reguero de heces pegajosas que van dejando. Las columnas franquistas igual: llegaban a las primeras casas del lugar y comenzaban a roer las esquinas, los muros, roían los tabiques, los muebles, roían también a la gente que vivía dentro; les podías seguir la pista por el reguero de muertos que iban dejando. Hasta el siguiente pueblo, si no se comían de camino un caserío y a los caseros, un molino y a los molineros, o un pobre grupo de resistentes, puede que sólo obedientes, que se quedaban en una loma y pegaban tiros y tiros hasta que los primeros gusanos llegaban a ellos y se los zampaban. Y con treinta y siete años, toda una vida que vivir por delante. Muchos de los comités se salvarían; dejarían atrás a Eliseo y a otros como él, obedientes, para ganar tiempo y saldrían hacia Francia o África. En una guerra normal hubiera sido lo lógico, porque en las guerras normales no se fusila a los combatientes regulares, nadie mata a los soldados enemigos por cumplir con su obligación; en las guerras normales llega el último momento, levantas las manos, te dan una paliza y te empujan o te arrastran hasta la columna de prisioneros. Pero Franco y los falangistas no, ni los lejías, ni los moros. Ésos, como los gusanos. O peor: cuentan algunos que, cuando tienen tiempo y están organizados, te obligan a cavar antes tu propia tumba. Y con treinta y siete años, por delante toda una vida por vivir.

Eliseo decidió atracar para él. Dudó mucho si decirles a los compañeros lo que iba a hacer; no todos se hubieran apuntado. Y hubieran tenido razón. No llevaban tres años de guerra, algunos incluso más, desde el 17, dando golpes de mano para la CNT, por la tierra y la libertad, para traicionar y traicionarse en el último momento. Tenían razón los que pensaban eso y, de habérselo dicho, hubiera sido justo que le metieran a Eliseo un tiro allí mismo. Claro que esos justos nunca creyeron que la guerra estaba perdida, incluso cuando se arrastraron por las carreteras camino de la raya de Francia, ya sin calzado, o cuando esperaban, ya desarmados, que llegaran a Alicante los barcos que nunca llegaron; ni entonces creyeron que la guerra estaba perdida. Porque vendrían las democracias a continuarla o, por lo menos, a darnos cobijo mientras nos rehacíamos, recuperábamos fuerzas, engordábamos un poco y nos quitábamos los sabañones; desde los cuarteles de las democracias volveríamos, ya calzados, de nuevo con armas, y la guerra no habría terminado; es más, entonces la ganaríamos. Pero Eliseo en enero del 39 supo, lo sintió dentro, como si la noticia dependiera sólo de él, que la guerra estaba perdida y tenía mucha vida que vivir. Decidió que sólo a Padilla le diría que iba a robar para él; también a Lolo cuando le dieran el alta. Ninguno de los dos le mataría como a un perro apenas hubiera terminado de contar el propósito. Y que conste que Eliseo sabía que hubiera merecido morir. Pero Padilla terminó de escuchar con la boca abierta, aunque incrédulo.

—Joder, compañero, no llevamos tres años de guerra para ahora traicionar...

—Que ya, coño, que ya —le interrumpió Eliseo—. No hace falta que vengas si no quieres.

Y llegaron a una solución de compromiso: si los demás o muchos de los demás seguían luchando aun con la guerra perdida, desde Francia, o en el monte, o de guerrilleros en las ciudades, ellos lucharían también. Pero con el riñón cubierto, por si acaso. Esconderían el dinero en un lugar seguro y seguirían disparando como cualquiera. Incluso se quedarían conteniendo a la plaga de gusanos para darles tiempo a huir a las mujeres, a los niños, a los de los comités; se quedarían en el último nido de ametralladora. Pero con el riñón cubierto, por si acaso. Por si los demás o muchos de los demás dejaban de luchar. Un seguro, por si no morían. Y la verdad es que, si se quedaban a contener, como los últimos de Filipinas, tenían muy pocas posibilidades de cobrar ese seguro. No se engañaban: todos los de su grupo habían dado golpes de mano detrás de las líneas franquistas y sabían cómo se las gastaban con los vencidos, con las familias de los vencidos, con los amigos de los vencidos, con los que tuvieran la mínima relación con los vencidos. Eliseo y Padilla, a cambio del dinero y de la traición, adquirían un dudoso privilegio: no saldrían del país hambrientos, arrastrando los pies, mirando hacia atrás con los ojos saltones, abiertos como platos esperando ver a sus espaldas a las primeras orugas; ni entregarían las armas y se dejarían detener y matar; al menos durante un tiempo deberían esconderse rodeados de fascistas o vivir entre ellos. Y para hacer eso con un mínimo de garantías haría falta dinero, ¿no?

A Padilla todavía le quedaba otro escrúpulo, y eso que tenía dos años menos que Eliseo y por tanto un poco más de vida que vivir.

—¿A quién se lo vamos a quitar? —se torturaba—. Porque a lo que no estoy dispuesto es a quitárselo a la República.

—¿Y a algún republicano rico, que los hay? —argumentó Eliseo.

—Sé que esa gente poco tiene que ver con nosotros, pero... qué quieres que te diga, yo casi preferiría pasar una vez más las líneas de los fascistas y quitárselo a un banco de los de ellos. —Padilla no había sido nunca un cobarde.

—Macho, una cosa es pasar entre los fascistas, volar un puente o una comisaría y salir de naja y otra meterse en un banco sin saber lo que hay o dónde está. Lo más fácil es que nos la jugáramos por nada. ¿Y si se acaban de llevar todo el dinero del banco? Que no, hombre, que no. Para hacerlo bien tendríamos que estudiar varios bancos, hablar con la gente... Que no, que no, que tiene que ser aquí.

—No termina de gustarme, joder. Hemos luchado hombro con hombro con los republicanos...

—¿Y si además de rico el que escojamos ha sido un opresor de los trabajadores?

—¿Cómo de opresor?

—¡Pues de los que hacen leyes para proteger la propiedad, por ejemplo!

—¿Y le sigue sobrando el dinero a estas alturas además?

—Mucho.

—Bueno, si le sobra...

Eliseo ya le tenía echado el ojo a un chalé de una colonia de Chamartín de la Rosa, propiedad de un catedrático de derecho penal de Izquierda Republicana. En la primavera del 37 había entrado en ese chalé al frente de un pelotón de milicianos para comprobar una denuncia de traición. No tenían prueba alguna contra el catedrático y sí por el contrario el aval de un alto cargo de la CNT. Registraron la vivienda a fondo y no encontraron nada comprometedor. Se marcharon tras disculparse. Pero Eliseo no dejó de fijarse en lo nerviosa que se puso la mujer del catedrático cuando bajaron al sótano y golpearon las paredes en busca de escondrijos. De hecho, el oído de tísico de Eliseo detectó la oquedad en uno de los muros y calló. Pidió disculpas y calló. Allí estaría el depósito por si alguna vez la CNT rompía con los republicanos de izquierda. Y allí estaría ahora que él iba a romper con la CNT.

Se presentaron al atardecer, cortaron los cables del teléfono en el exterior y entraron pegando una patada a la puerta. En guerra los atracos o todo lo que tenga que ver con armas gana mucho en simplicidad. El catedrático leía junto a una chimenea apagada. Hacía un frío de muerte, pero no había ni leña ni carbón. Sin embargo, el catedrático es un animal de costumbres y leía en la misma postura en la que habría leído si un rico fuego calentara la habitación. La mujer había muerto y el hombre no parecía con muchas ganas de vivir.

—Os esperaba desde que vinisteis la otra vez —dijo sin cerrar siquiera el libro.

Eliseo le habría partido la cara de un culatazo. ¿Qué estaba tratando de decirles, que eran chusma y que ni una república popular podría cambiarles? Pero se contuvo.

—¿Hay alguna forma sencilla de abrir el hueco del sótano o tiramos la pared y se acabó?

—Son rasillas —respondió el catedrático y se encogió de hombros.

—Quédate con él —le ordenó Eliseo a Padilla—. No le mates a no ser que vuelva a insultar a los trabajadores.

Eliseo bajó al sótano. En un armario tenían guardado un pico, evidentemente por si se veían obligados a coger su dinero con urgencia. Eliseo abrió un agujero en la pared con muy poco esfuerzo. Al otro lado era como una librería de obra, todo muy organizado: un nicho para los títulos y las acciones; otro para las joyas de la familia y un crucifijo con piedras, puede que preciosas, engarzadas; uno más para el dinero, cerca de 40.000 pesetas en billetes de la República y un fajo bastante grueso de dólares norteamericanos; y por fin, habían dispuesto un nicho más para manuscritos. Eliseo les echó una ojeada; uno de ellos estaba fechado hacía poco más de un mes y se titulaba «De la República a la Monarquía constitucional»; el traidor estaba guardando su producción intelectual para… ¿cuándo? Eliseo llenó su petate y subió al salón con los manuscritos en la mano.

—Mira, Padilla, tú que tenías escrúpulos. El hijoputa no ha querido publicar bajo la República y se prepara el terreno para continuar siendo un padre de la patria.

Eliseo golpeó al viejo en la cara con los tochos.

—Los fascistas te lo iban a pagar mejor cuando entraran, ¿no? ¿De qué va? ¿Vas a justificar el carácter retroactivo de las leyes? ¿Para que puedan fusilarnos por delitos contra el Estado fascista? ¿Y si tú ya no estás cuando entren? Joder, me gusta. Algún catedrático falangista los publicará a su nombre. Te estará bien empleado, gilipollas.

El viejo sonreía con tristeza.

—Venga, déjale. —Padilla tenía prisa—. ¿Dinero había?

—Un porrón.

—¿Dónde te vas a gastar ese dinero? —preguntó el catedrático con una sonrisa—. Ahora no tienes qué comprar y cuando entren, como tú dices, esos billetes valdrán una mierda.

—Debe dar mucho gusto ser tan listo como tú, ¿verdad? —dijo Eliseo—. Siempre con la razón. Lo sabes todo. Tiene que dar gusto, sí.

Eliseo hablaba en serio. Acababa de comprender lo que es tener poder, poder de verdad, del que vale en tiempos de paz. Pero se dejó de hostias: ahora mandaban las pistolas.

—Los dólares y las acciones de la Shell sí que valdrán, ¿verdad, catedrático? Ni Franco puede quitarles el valor a los títulos americanos. Por no hablar de las joyas. Seguro que cuando entren, las joyas valdrán más que antes.

—¿Joyas también, compañero? —Padilla tenía prisa—. Pues venga, vámonos.

Eliseo se acercó al viejo pistola en mano. El hombre se cubrió la cara.

—Tranquilo, que no te voy a matar, no. Pero me voy a llevar los manuscritos.

—Por favor —imploró el intelectual.

—¿Y sabes lo mejor? Voy a borrar tu nombre y los voy a dejar en el Ministerio de Justicia. En un cajón de la mesa del ministro. Como un regalo para el afortunado a quien Franco encomiende esa cartera. Ya lo estoy viendo: Don Fulanito de Tal y Tal, marqués de los Ordenandos, mientras combatía a la barbarie roja encontraba tiempo y ánimo para, en la lobreguez de la tienda de campaña, servir a España por una doble vía: ha conseguido escribir en estos tres años de cruzada un libro que será el abecé de los constitucionalistas del Estado nuevo. Cuatro volúmenes que renovarán el panorama del derecho constitucional español.

—Por favor… —Al catedrático se le saltaron las lágrimas.

—No era digna la República de tu intelecto, ¿verdad? ¡Jódete! O denuncia al ministro por plagio.

Todavía no habían alcanzado la verja que daba a la calle cuando escucharon un disparo en el interior de la vivienda.

—¿Le daremos a Lolo su parte? —preguntó Padilla.

Eliseo asintió. Y después:

—Qué hijo de puta el viejo.

Desde entonces habían trabajado para ellos.

Como ahora, que iban a matar a un hombre por dinero en esa colonia de Alfonso XIII o Carlos Marx, en ese chalecito de colonia. La diferencia es que antes discutían si hacerlo o no, si era ético, o legal o como le llamaran. Y ahora ya no. Ahora alguien dejaba una nota en una taberna de la calle Ave María y el tabernero se la hacía llegar a Eliseo. En la nota figuraba un número de teléfono. Eliseo llamaba y citaba a quien se pusiera al aparato. En la primera cita exigía que se le contara el objetivo y después ponía un precio. Si llegaban a un acuerdo, Eliseo se lo contaba a Padilla y al Lolo y, si a ellos les parecía bien, hacían el trabajo. Ya no importaba la ideología del morituro; de hecho, si preguntaban quién era lo hacían para descartar a peces demasiado gordos, lo que les hubiera llevado a una persecución que no deseaban. Las cosas estaban muy revueltas y podías verte metido en un lío político que diera contigo en la tumba. Asesinos de medio pelo, cadáveres de medio pelo. De modo que mataban más bien de todo, pero bajito. Estraperlistas de la competencia… Normalmente competencia económica (los militares y los falangistas a la greña por hacerse con el negocio de la distribución, o de la inmobiliaria). Era tan fácil.

Como lo iba a ser ahora.

A Eliseo no le hizo falta hablar; montó su *star* con los ojos todavía cerrados.

—¿Eso es que vamos, jefe? —preguntó Lolo con una sonrisa.

Eliseo asiente.

Los tres hombres se bajan del Packard. Van a abrir la cancela, pero chirría demasiado y Padilla hace una seña de que será mejor saltar el seto. Lo hacen los tres. Sin pronunciar palabra, Padilla se coloca en la pared, a un lado de la puerta.

—¡No, macho, hoy me toca a mí quedarme de plantón! —susurra Lolo con firmeza.

—¡Que no, gitano, que no! Tú te quedaste la última vez —replica Padilla muy seguro.

—¡Díselo tú, jefe! —Y añade con desprecio—: ¡Huele

tu hierro, gilipollas! ¿Cuánto hace que no lo disparas? Al médico aquel de la Cava Baja me lo cargué yo porque Eliseo se despistó. ¿Es así o no, jefe?

—Venga, coño, no discutáis aquí. Es verdad, Padilla, el Lolo entró conmigo en la Cava Baja y tú te quedaste de plantón.

Padilla, cabreado, se dirige hacia la entrada del chalé sin esperar a Eliseo, le da una patada a la puerta y entra con la pistola cogida con las dos manos y por encima de la cabeza.

—¡Espera, joder! —le grita Eliseo, que corre tras él.

La única luz que había encendida se ha apagado al escuchar las voces. Sólo las llamas de la chimenea, ya prácticamente en ascuas, iluminan el salón. Con los movimientos aprendidos y cien veces repetidos, Padilla no entra al salón; se queda en la puerta. Es Eliseo el que pega la última patada.

—¡Que no se mueva ni dios! ¡Las manos encima de la cabeza!

Una sombra se le echa encima. Es el médico, desnudo, que se había levantado a apagar la luz. Junto a la chimenea, sobre una manta de picnic y con el termo del café todavía en la mano hay una mujer desnuda; a su alrededor una cesta de mimbre, cubiertos, copas y restos de comida. El médico de los huevos tenía imaginación: era un autentico día de campo. A Eliseo no le cuesta nada darle un codazo en los dientes al hombre, que cae al suelo y, sin que nadie le diga nada, gatea hasta su querida.

—Imagino por la escenita que tu mujer y los niños no están en casa —dice con sorna Eliseo.

El médico niega.

—Dime dónde están y sin alborotarse. No les buscamos a ellos; por tu tono sabré si dices la verdad.

—En Albacete. Están pasando unos días con mis suegros. Les daré todo el dinero.

—Harás bien —dice Eliseo.

La mujer llora.

—¡Cállate tú!

La mujer obedece. El médico se ha puesto en pie y va a caminar, pero algo le incomoda:

—¿Puedo vestirme? —pregunta.

—No —responde Eliseo.

El médico se encoge de hombros y se dirige hacia el muro sur. Levanta el cuadro de una purísima, que al parecer está fijado con bisagras, y deja a la vista una caja acorazada.

—No hay mucho.

—Está de más. Venimos a por ti. El dinero es para que no se desperdicie.

—Mi mujer y mis hijos lo necesitarán. Si ya os han pagado…

—No es que me importe una mierda, pero… ¿por qué no has pensado en tu mujer y tus niños antes?

—Sólo hago lo que todo el mundo.

—Supongo que sí. Abre la caja.

El médico obedece. Se escucha a Padilla al otro lado del tabique:

—¿Tiene mucho guardado el hijoputa?

—Todavía no lo he visto, pero no creo —responde Eliseo.

Comienzan a dar las doce campanadas.

—Con un poco de tiempo, puedo doblar lo que os han pagado por matarme.

—Demasiado complicado.

Cuando la puerta de la caja fuerte está abierta, Eliseo da dos pasos y, sin gesto previo que lo adelante, le descerraja dos tiros al doctor. Se nota que la querida tiene ganas de llorar, pero el gesto ha sido tan inesperado que, cuando se quiere dar cuenta, gritar y hasta llorar está fuera de lugar. Permanece la mujer en silencio. Eliseo coge el dinero que hay en la caja y pregunta alzando lo suficiente la voz:

—¿Te encargas tú de negociar las acciones y los pagarés?

Desde el otro lado del tabique Padilla responde:

—No, macho, no, que las pasas putas en esas ventanillas y ya no tengo las ganas de antes. Pilla sólo el efectivo.

Eliseo coge el dinero y lo mete en un talego que se saca del bolsillo trasero del pantalón. De camino hacia la puerta se topa con los ojos de gacela asustada de la mujer.

—¡No diré nada, te lo juro! ¡Si no te he visto con esta luz! ¡No podría reconocerte! —La muchacha implora por su vida.

Todos los gestos de Eliseo indican que se va a marchar sin ocuparse más de ella. Así lo intuye ésta y suspira aliviada. Antes de abrir la puerta para salir, Eliseo se gira con rapidez y le dispara a la cabeza; la muchacha muerta le parece rejuvenecida; ha tenido suerte: muere como los animales, sin saber que iba a morir, piensa.

Cuando cruza la puerta del salón, Padilla ya está esperándole en el zaguán. Le abre la puerta con un gesto de cortesía que es más bien una broma. Eliseo agradece con la cabeza y sale. Padilla cierra con cuidado sin saber por qué. Los dos entran al Packard, que se pone en marcha. En el chalé de al lado se ha encendido una luz, pero no ha aparecido silueta alguna en la ventana, como confirma Lolo.

—Nos vamos entonces, sin molestar más, ¿no?

—¿Estás seguro de que nadie se ha asomado?

Lolo asiente.

—¡Habla, joder, que de noche no se puede estar seguro con los gestos! —le recrimina Padilla a Lolo.

—Que sí. Pero se asomarán si seguimos aquí pelando la pava.

El Packard arranca y se pierde por las calles de la colonia.

12

El día de Año Nuevo por la mañana volví a Vallecas temprano. Las persianas estaban en su mayoría bajadas todavía, como si muy pocos de los que vivían en el barrio tuvieran interés en saludar al primer día de otros trescientos sesenta y cinco de agachar la cabeza y aguantar.

A pesar de que no había presencia policial, o yo no la notaba, sí que de vez en cuando pasaban camiones de soldados en unas rondas ceñudas que ellos debían de considerar normales porque no demostraban interés alguno por su entorno. En cualquier caso, para curarme en salud, caminé por las calles simulando felicidad, como si todavía estuviera completamente seguro de que iba a cumplir todos los buenos propósitos. Quería parecer razonablemente estúpido.

Había pensado estudiar las fachadas para decidir por dónde empezaba a preguntar por Cecilia. ¿Sería Cecilia de las de geranios en el balcón? Decidí que no, que ella no cuidaría flores en balcones grises, como si la vida todavía le dejara hueco para pensar en darle color. No es que estuviera seguro pero, con los datos de que disponía, lo mismo daba un criterio que otro; y el de la jardinería proletaria tenía la ventaja de que limitaba bastante el número de casas en que preguntar. Ya tendría ocasión de rectificar.

Armado de libreta, tomé perspectiva y anoté pues las ventanas y balcones infecundos. Me puse a tocar aldabas.

Fue una mañana de puertas abiertas con timidez, gritos desde la cocina y carreras de niños asustados por los pasillos, de ojos vidriosos y eructos bestiales que hisopeaban alcohol, de muchedumbre de olores, casi todos a verdura en diversos grados de descomposición, de negativas, de desmentir mi condición de policía, y eso que llevaba mi trinchera discretamente colgada del brazo (o por eso), de «gracias a Dios no conozco a esa tal Cecilia; en esta casa somos honrados», de villancicos lelos, de agotamiento.

A mediodía, el sol velado por una neblina que era lo más sutil que se había visto en Vallecas en años, algunas tabernas abrieron y las aceras se animaron algo. Ahora me cruzaba con más que, como yo, optaban por parecer idiotas, vaya usted a saber qué andaban ocultando. Algunos debían tener pensamientos paralelos a los míos, es decir, sabían que nadie puede parecer tan idiota: lo supe porque escuchaba cuchicheos a mi paso. Envuelto en la gasa misteriosa e inconsútil de la niebla giré una esquina hacia calles menos populosas con la intención de buscar un local donde almorzar alejado de miradas urticantes. Di con él. Gallinejas, tripas, casquería. Año Nuevo a todo tren. Pero aún vacío.

Estaba a medio comer cuando entró un cura. Era joven, más bien gordo, rubicundo y de una talla que no se alcanza por estos pagos con lentejas; venía también algo sudado. Me echó de camino a la barra una mirada que no sostuve. Sabido es que muchos curas actúan estos días como ojeadores en la cacería. Joder. Un callo arisco, de cerdas enhiestas que, por los nervios y con el tacto de la lengua, confundí con uno de los de celdillas, de los más suaves, se me quedó atorado en la garganta. Aun sin querer significarme, no tuve más remedio que exigir, mediante señas y gruñidos agónicos, otra jarrita de agua.

—¡Ala, a gastar, que es Navidad! —dijo el tabernero insolidario. Pero dejó sobre el mostrador la jarra antes de atender al tonsurado.

Me acerqué a la barra a grandes pasos y bebí como si el cerdo fuera yo.

—Un aguardiente —escuché susurrar al cura.

«Y con tu espíritu», pensé aliviado y tontamente. Aquellas dos palabras susurradas por el célibe me daban mucho más sosiego que si le hubiera escuchado pronunciar el «podéis ir en paz». Un tipo que se desayuna con aguardiente después de decir sus misas de Año Nuevo no puede ser en exceso intolerante, por mucha sotana que arrastre. Con todo, volví a mi mesa y me apresuré a engullir los callos que quedaban. Quería marcharme de allí cuanto antes, pero en el hospicio me habían enseñado que no se debían dejar sobras en los platos: si alguna vez olvidé el precepto, la posguerra se dio maña en recordármelo.

—Otro —dijo el sotanudo con ánimo superior. Se había endilgado el orujo anterior de un trago.

Pregunté cuánto debía; el cura me clavó la mirada; yo

desvié la mía hacia la ventana, hacia aquella fábrica de sabañones que era el espacio. El tabernero se acercó.

—Dos cincuenta. Y que pregunta el padre que si no le importa a usted que se siente a su mesa.

—Lo siento, dígale al… padre que estoy a dos velas. —Y aun sin querer me giré hacia el cura y me llevé el índice y el anular a los agujeros de la nariz.

No va a cambiar nunca esta gente. Gorrean por instinto, deportivamente, por pasar el rato, sin descanso. Y ahora, con el expediente de que le han quemado a Dios un montón de casas, se sienten hasta legitimados.

Dejé mis dos cincuenta sobre la mesa con sigilo, procurando ocultar las cuatro y pico que me quedaban. Cuando ya me levantaba felino:

—Que dice el padre que lo suyo lo paga él —volvió con el recado el correveidile—, pero que viene a sentarse.

Volví a dejar el culo sobre la silla, cazado. El cura gigantón sonreía desde la barra, una sonrisa estudiada que aprovechaba su tez rojilla, sus rizos cenicientos y sus ojos pequeños y claros para parecer bonachón y sincero. El tabernero recogió sus monedas y se alzó de hombros, me abandonaba a mi suerte.

—Lleva otros dos orujos a la mesa —ordenó el cura después de apurar su segundo—. De mi parte.

A punto estuve de decir como un gilipollas «no, no, padre, déjeme que pague yo»; lo que son los siglos de liturgia a tus espaldas. Me aguanté las ganas. Pero no me atreví a mirarle a la cara. Y se sentó frente a mí.

—He oído que anda usted preguntando por una tal Cecilia.

Sirenas de bombardeo, gritos de «a cubierto» de los oficiales, el embudo brutal de viento que crean las explosiones. Centinela alerta.

—No te asustes, hombre, que soy de fiar.

Un arrastrarse en los matojos, el santo y seña, correcto, y el filo de un cuchillo que te parte la garganta cuando ya sonríes al que se decía camarada. Procuré templar los nervios.

—Es mi novia, que se ha largado.

—La Cecilia que yo digo es viuda.

—La mía todavía no.

El cura rió con ganas y, sin poder esperar, arrancó de la bandeja las dos copas que el tabernero traía.

—Hacía mucho que no bebía —dijo a modo de disculpa.

—Es Año Nuevo —dije a modo de disculpa.

—¿Es usted Jarabito?

—Jarabo, sí. —No me gustaba que me disminuyeran el apellido, pero supe por qué lo hacía el cura: me demostraba que me conocía de veras.

—Acabo de estar con ella.

—¿Dónde?

—En la estación.

—¿La buscan?

—¿Cuándo no?

—Este último año, si lo ha pasado todo en Vallecas.

—Aquí ha estado, sí.

—No es Cecilia de mucho andar por la parroquia.

—¡No, ya lo creo que no! —se desternillaba el tío—. ¡Yo tampoco!

Y cuando se repuso:

—Perdón.

—Ya, ya, sólo bebe usted de pascuas a ramos.

—Y cuando ayudo a una amiga a escapar de unos tíos con un Packard blanco. Soy un cobarde.

—No lo parece. Al menos cuando hace pareja con el aguardiente. ¿Le ha dicho algo para mí?

—Que de ésta ha salido. Y que venga usted a verme de vez en cuando. Me mandará noticias a mí, que es menos arriesgado. Si le necesita, me lo dirá a mí.

—¿Cómo está la niña?

—Creciendo bien. No le ha faltado de nada.

Excepto su padre, pensé, y el sosiego de su madre. ¿Cuánto tardarían en encontrarlas de nuevo?

—¿Adónde han ido?

—Es mejor que no lo sepa. No me lo quería decir ni a mí.

Joder con el «mí». Otra cosa que tienen aun los más cabales: la soberbia. Hice de las tripas que había almorzado corazón:

—Será mejor que lo sepamos los dos. Si a usted le pasara algo…

—¿Qué me va a pasar a mí? —preguntó a carcajadas.

Le resumí el palmarés de Eliseo Frutos, con especial hincapié en la gente de hábito.

—¿El del Packard? —Y por un momento creí que se incendiarían las partículas minúsculas de orujo que expelió su boca.

—Al principio iba a pie.

—Han cogido el tren de Valencia, no sé más. Bueno, sí,

que el pueblo al que van tiene mar. La pequeña no lo ha visto todavía. ¿Va a buscarlas?

—O a vigilar al del Packard. Una de dos.

—Que tengas suerte, hijo. —Hizo la señal de la cruz, creo que para compensar que me había rebajado el tratamiento.

—Gracias… ¿cómo te llamo a ti? ¿Padre?

—Llámame Ángel.

Joder qué ínfulas.

En cuanto hube escuchado que el tren de Cecilia iba hacia Valencia, supe el lugar concreto donde podría encontrarla. Quizá antes que Eliseo. Volví a casa dispuesto a dar un sablazo, hacer las maletas y pasarme las siguientes catorce horas en un tren con la peor compañía que un hombre que va a jugarse la vida puede tener, la suya propia. En mi caso la mala compañía sería peor si cabe al sumarse la pareja de la Guardia Civil que por orden gubernativa viajaba en cada convoy.

SEGUNDA PARTE

La Nochevieja del 42

13

Puede que si rebuscáramos ahora en los archivos del Servicio Meteorológico Nacional hasta encontrar la ficha del 31 de diciembre de 1942 no hubiera nada que destacar en los datos anotados en ella, pero yo recuerdo aquel día como el más frío de mi vida. Por no hablar de aquella noche, la que daba paso al año nuevo, a 1943, el que también sería, aunque yo no lo supiera todavía, el más triste de mi vida. Puede que no fuera todo cuestión de temperatura. También del hambre. Quizá no entrábamos en calor porque andábamos comiéndonos los mocos y no sólo en sentido figurado: los mocos formaban parte inconfesa de la dieta de muchos aunque no aportaban ni una triste caloría. Recuerdo perfectamente lo que me había metido en el cuerpo a lo largo de aquel último de año: por la mañana, una rebanada de pan, negro de color y aún más de procedencia, del calibre de una cajetilla de cigarrillos sin filtro, nada de café; a eso del mediodía, un vaso de caña de un caldo ligero que me había subido la noche anterior la hija de la patrona; y antes de salir a la calle para celebrar la Nochevieja, un cacito de lentejas que la misma niña me subió cuando todos en su casa habían cenado ya; no pudo subir uvas, me dijo, porque hasta su propia madre celebraría el rito con once.

A eso de las diez salí de la pensión sin ruido. No sé por qué pero entonces todo se hacía con el menor ruido posible. O sí sé por qué: la patrona, o su marido, o su hija, o cualquiera de los otros huéspedes anotaría en su memoria la hora a la que yo había dejado la pensión por si en cualquier momento el dato fuera requerido por un policía o un falangista o un militar o el jefe de casa. Al mejor postor.

Los hombres que vivían solos en pensiones baratas resultaban sospechosos y el hecho de tener trabajo o no era un dato de menor importancia, porque de los obreros también se sospechaba mecánicamente; yo encima no tenía trabajo fijo ni costumbres regulares y mis irregularidades podrían valer lo suyo si alguien con autoridad se interesara en ellas. Se podría vender la información a cambio de una anotación de lealtad en la libreta policial o por nada, tan sólo por una mirada satisfecha de la autoridad: a mucha gente le gusta aparecer como buenos chicos ante la mirada de un policía.

Caminando sin ruido, con la cabeza hundida entre los hombros y las solapas de la chaqueta subidas para proteger los lóbulos de las orejas, minimizándome, crucé el puente de Toledo. Pasé bajo la pétrea mirada de san Isidro Labrador y de su esposa, santa María de la Cabeza, otro buen par de fisgones. Del Manzanares subía un olor dulzón, como de piedra lamida. Al pasar por Pirámides me adelantaron las primeras personas que veía desde que saliera a la calle. Eran dos chavales que, supongo, iban a celebrar el Año Nuevo a la Puerta del Sol. Aunque uno de ellos llevaba un bombo, no lo hacía sonar, incluso lo cargaba con desgana, como si se arrepintiera de haberlo sacado de casa. Tan sólo siete años antes, a ese misma hora del último día del año, la calle hubiera sido un hervidero de gentes con esperanza, vete tú a saber en qué, pero esperanza. Ahora silencio y desgana.

Y oscuridad. Cuando llegué a la glorieta de Embajadores, como se veía más gente por la calle, la negrura se dejaba notar más. Los hombres eran bultos. Es verdad que, a diferencia de las noches de diario, la mayoría de las ventanas estaban iluminadas, pero los veinticinco vatios de las bombillas sólo conseguían pespuntear lo negro de la noche; daba la impresión de que todo lo que sucediera dentro, en su amarillo apagado, los besos, las felicitaciones, la cena, los reencuentros, tenía que ser triste, lóbrego, malogrado, desaprovechado; daban ganas de que todo pasara rápido, de que los años corrieran locos hasta que la luz iluminara Nocheviejas que mereciera la pena vivir.

Subía por Mira el Sol hacia Lavapiés cuando vi que unos muchachos que caminaban en grupo delante de mí se detenían en la esquina de la calle Embajadores y miraban con inquietud hacia la glorieta. Escuché las pisadas firmes de unas botas tras ellos; sonaban regulares:

—¿Es la policía? —pregunté.

—¡Quédate aquí y se lo preguntas! —respondió uno mientras echaba a correr Embajadores arriba. Los demás le siguieron.

Antes de que pudiera asomarme a la esquina para hacerme con la situación irrumpió en mi calle un pelotón de hombres:

—¡Quítate de en medio, gilipollas!

Andaban más que deprisa y sin dejar de mirar hacia atrás, como si les fueran pisando los talones. No quería seguirles a tontas y a locas sin saber de qué estaba huyendo y me pegué a la pared para dejarles pasar. Olían a miedo y a pies. Como nadie les perseguía, me asomé con cuidado a Embajadores.

—¡Eh, tú, quédate ahí, quieto!

No veía a quien había gritado, pero la voz sonaba tan segura que supe al instante que era la de un policía. Iba a echar a correr cuando de un portal salió un hombre con traje, corbata y sombrero. En la mano derecha una pistola.

—¡Contra el muro! —volvió a gritar, aunque era una voz diferente a la anterior.

Había más de uno. Obedecí y me coloqué de cara a la pared.

—Las manos. Las manos arriba y contra el muro —ordenó ya sin gritar, pero con un dejo evidente de odio y chulería—. Las piernas abiertas, como tu puta madre.

Me abrió las piernas con dos patadas y me colocó la bocacha de la pistola en la nuca, apretando, mientras con la mano izquierda me cacheaba a conciencia.

—¿Me lo llevo, jefe? —preguntó un policía de uniforme que se había acercado sin que lo advirtiera.

—¡Vuelve a tu sitio, imbécil! ¿No ves que pueden salir en cualquier momento?

Le habló al guardia con el mismo odio que a mí.

—Date la vuelta —me ordenó—. Documentación.

Mientras sacaba la cartera del bolsillo de la americana pude ver cómo dos policías de paisano se descolgaban desde la azotea del edificio de enfrente para intentar dejarse caer sin ruido en un balcón del ático. Antes de que pusieran pie en el balcón, una mujer cruzó fugaz el rectángulo de luz de la fachada: era delgada y llevaba un vestido pardo. Y nos vio, sin detenerse comprendí que nos había visto ahí abajo, junto a la pared, yo con las manos alzadas, el policía con su pistola en mi cogote. Apagó la luz. Aterrada.

Sin percatarse de que la redada había sido descubierta, el policía me arrancó la billetera de las manos.

—Dámelo todo. ¿Qué coño estás haciendo aquí? ¿No has visto cómo corrían los muertos de hambre esos? —preguntó sin dejar de mirar mi cédula.

—Mire el otro papel, por favor, el que está más desgastado.

No levantó los ojos de mis documentos aunque del ático nos llegó el estrépito de unos cristales rotos y algunos trozos cayeron a la calle no muy lejos de nosotros. Los policías habían entrado del balcón al piso.

—¡Coño, haberlo dicho antes! —dobló el certificado, cerró mi cartera y me golpeó en el pecho con ella. La cogí—. Vete a tomar por culo pero ya.

Eché a caminar de vuelta por Mira el Sol. Después de unos diez pasos me giré y el policía, en medio de la calle, aún me estaba mirando. No podía verle el gesto, pero el tono de sus palabras fue cruel, sarcástico:

—Qué puñetas habrás hecho para que te vaya tan mal, pringoso —dijo y se giró hacia donde le esperaba la tarea.

Lo que le había pedido que leyera era un certificado de mi servicio voluntario en la División Azul y lo que él había visto era que yo, una noche de diciembre, caminaba solo, sin abrigo, con la cabeza hundida entre los hombros y el cuello de la chaqueta de entretiempo inútilmente alzado, quizá resaltando mis mejillas convexas y el marco oscuro del hambre en mis ojos. La oscuridad no le dejó ver los lamparones en la camisa y los zurcidos en las rodillas de los pantalones. Debía de ser yo pero que muy imbécil para no haberle sacado partido a la aventura soviética. Pero que muy imbécil: ni siquiera me habían dado una camisa azul nueva.

Los disparos sonaron entonces y luego un golpe sordo, blando, el de un cuerpo al estrellarse contra los adoquines. Hubo un par de disparos más. Desde donde estaba no podía ver nada. Entré en un portal para esperar y echar un ojo luego, cuando terminara el jaleo. Era plumilla de sucesos y, si se trataba de un asunto de delincuencia común, el periódico compraría mis notas. Aunque no era probable: los policías no matan cacos en Nochevieja; los rojos son los únicos muertos que no pueden esperar y significan un verdadero regalo de Año Nuevo para la superioridad. Y a ésos no nos dejan que les saquemos en los periódicos, ni siquiera muertos.

Hacía un minuto que no sonaban más disparos. Con la espalda en la pared y muy despacio me acerqué de nuevo al cruce de calles. Escuché un «¡mierda!» muy apagado y después carreras. Me pegué más a la pared.

Iba a sacar un ojo por la esquina cuando volvieron a disparar. Varias armas: dos pistolas y una automática, un subfusil probablemente. Los pasos rápidos de un hombre que corre. El silbido de los disparos al rebotar en el granito de las fachadas. Ahora sólo el subfusil. Y sin tener que asomarme vi al hombre que pasó mi esquina: cómo se le curvó la espalda, la cabeza hacia atrás con un movimiento de latigazo, la boca abierta, los dientes como si quisieran escapar, muy blancos en la oscuridad; y luego cómo aún dio un paso más, la cabeza ahora hacia delante pero sin voluntad, como para tirar del cuerpo y que cayera de bruces, los dientes partidos contra el adoquín, la inercia que llevó su cuerpo muerto un par de metros más allá; y la estela de chispas que dejaba su pistola al resbalar por el piso hasta caer en una boca de alcantarilla. Enseguida le rodearon los policías todavía con las armas en la mano.

—¡Será hijo puta! ¡Ahora vamos a tener que bajar al colector y buscar su pistola entre la mierda! —dijo un policía de uniforme.

—Los rojos son como el Cid, macho, que joden hasta después de muertos —las risas corearon el chiste.

Rojos. Ni siquiera iba a poder vender el suelto al periódico. Procurando pasar inadvertido, me alejé pegado a la pared. ¡Siempre pegado a la pared!

Dos esquinas más allá la mujer delgada del vestido pardo surgió de las sombras. No me vio. Se detuvo, suspiró profundamente y de un bolso de charol negro muy relamido sacó un cigarrillo. Encendió el pitillo con algún juego de manos porque yo, que estaba a cinco metros, no pude ver la llama del fósforo; tampoco el resplandor en su rostro, oculto por la melena que se había echado adrede en una onda sobre la cara. Después, tras una casi imperceptible mirada hacia atrás, se marchó. Y el vestido no era pardo; era azul y llevaba estampadas cientos de lilas muy chicas.

14

Mi amigo Quintín vivía con su hermana Beba en la trastienda del estudio de fotografía que acababan de abrir en una placita del barrio del Progreso. Quintín y yo solíamos salir juntos en busca de sucesos cuando él no tenía que fotografiar recién casados o recién nacidos, o soldados con madre o con novia ansiosas por saber si el asco de rancho había mermado las carnes del guerrero. Nos pasábamos el día en la calle, él con su cámara, yo con mi libreta, charlando pero con el oído de carroñero atento a cualquier rumor de desgracia. Sólo cogíamos el tranvía o el metro cuando íbamos sobre seguro. De vez en cuando telefoneábamos a Beba, que escuchaba la radio en el estudio, para preguntarle si había noticia de algún accidente, desventura, infortunio, catástrofe. Si la había, hacia allá volábamos. Los buitres, nos llamaba la hermana de mi amigo y se reía para enfadarnos.

La verdad es que yo sí tenía un aire a buitre o hiena: su mismo aspecto desangelado, su cuello largo y tiñoso saliendo de una camisa demasiado grande, rozada y negruzca en los dobleces; las calvas de pluma o pelo eran las zonas raídas o zurcidas de mi indumentaria; y no me faltaba la mirada de darte todo igual, de no poder caer más bajo, de «vosotros haríais lo mismo» que se les ve a esos bichos. Un bicho cojo. Quintín iba un poco más arreglado porque, aunque no les sobraba mucho a los hermanos, Beba se daba maña en componer ropa, incluso dándole la vuelta, y en cortar el pelo como de peluquería. A decir verdad, cuando empecé a frecuentarles, la chica me adecentó un poco.

Cuando llegué todavía estaban cenando y escuchando la radio. No quise atragantarles la mejor cena del año con el relato del homicidio que acababa de presenciar. Mucho menos con las dos visiones de la mujer delgada del vestido; me llamarían romántico empedernido.

Habían terminado las lentejas y tenían frente a sí un plato de algo que puede que fuera conejo. Rechacé sus ofrecimientos alegando, digno, que ya había cenado. Pero sí me sumé al postre: tres naranjas, como si me hubieran estado esperando.

—Me comería doce naranjas con las campanadas. ¿Cuánto hace que no probabas las naranjas? —me preguntó Quintín.

—¡Déjale en paz! —le regañó Beba—. ¿A qué viene acordarse de lo que nos falta cuando lo tenemos?

—Pensando así nunca progresaría la humanidad. Hay que saber muy bien cómo debería ser la vida para luchar por ella —sentenció Quintín.

—Cállate, que quiero escuchar a Azucena.

Azucena de Noche era un consultorio sentimental radiofónico, que se había unido recientemente a los radioteatros y los concursos como programa más escuchado para que los españoles habláramos de ellos en lugar de hacerlo de la marcha de la guerra europea y de si Franco se convertiría en objetivo de los aliados y cuándo. Obedecimos a Beba y nos callamos para que escuchara a Azucena.

—«… yo, como tú escribes, Alba de Palencia, sé también lo que es acordarse del noviazgo. Es volver a sentir el hormigueo en el estómago mientras esperabas en un banco del parque; y lo que pensabas cuando le veías llegar y él todavía no te había visto a ti. En esos momentos piensas que podrías pasar, o que deberías pasar, toda la vida a su lado, toda la vida recibiendo sus besos… Pero así, casi sin que él se dé cuenta, disfrutando de su compañía sin que él se dé cuenta, como si fuera un juego, un juguete, un muñeco adorado del que ni siquiera podrá separarte el cumplir años; siempre en tus brazos; comiendo, viviendo en tus brazos.»

Quintín me miraba esperando una reacción.

—Habla muy cursi —dije yo, protegiendo el secreto de mi afición.

—¿Cursi? ¡Hay que fijarse en lo que no dice, hombre! ¡Habla de sexo! ¡Siempre en tus brazos, ¿no te das cuenta?!

—¡Callaos los dos! —susurró Beba, porque Azucena comenzaba una nueva respuesta o consejo.

—«Me escribe una amiga, que prefiere que me refiera a ella como Escorpión, para decirme que estaba a punto de casarse cuando estalló la guerra. Su novio se marchó al frente y no ha vuelto a verlo. Me diréis que eso os ha pasado a vosotras, a muchas de vosotras al menos. Y es verdad. Lo que me ha impresionado de la carta de Escorpión es que ella sigue esperando. Sé que también hay muchas que siguen esperando, pero no como Escorpión, creo. Ella vive en un pueblo de la serranía y todas las noches, después de cenar, coge un talego de garbanzos, o de lo que haya en cada época, y se va a desgranarlos a una iglesia pequeña que hay a la entrada de su pueblo. Allí espera, pegadita a la verja de la ermita, desde donde se ve la carretera de tierra, blanca en la noche, como un pasillo de álamos, recta por muchos metros, hasta el horizonte negro, recta hacia otro mundo más allá de los oteros, recta hacia él. Escorpión espera. Ha tenido proposiciones de otros mozos del pueblo; o las tuvo antes de llegar a la treintena, pero siempre dijo que no. Esperaba a su novio. No sabe ya cuánto tiempo hace que supo que su novio no volvería; puede que fuera al final de la guerra, puede que más tarde, pero un día, una noche mejor dicho, mientras desgranaba garbanzos, supo que jamás regresaría el que fusil al hombro caminó de espaldas hasta el final de la cuesta sin perderla de vista; ya no volverá, sabe que se dijo. Pero, y por eso escribe, prefiere, antes que aceptar otra boda, seguir saliendo cada noche hasta la ermita, con frío, con lluvia, con nieve, con la engañosa mansedumbre del viento en verano, cada noche a esperar, a seguir esperando. Lo prefiere. ¿Os dais cuenta de lo que significa eso? Lo prefiere. Escorpión ha decidido que su vida es ésa, desgranar sentada en el suelo y con la espalda apoyada en el muro desconchado de la iglesuca. La toman por loca, claro. Y ella sabe que no, por eso nos escribe, porque su elección es esperar, seguir esperando. Igual que él se fue para siempre, ella prefiere esperar para siempre. Hasta cuando la engañosa calma del verano rompe en tormenta y ella, sin asustarse de rayos, mira la carretera blanca esperando que cada relámpago ilumine la silueta de un hombre con el fusil terciado.»

Cuando Azucena terminó su programa vino otra tanda de villancicos surrealistas, el himno nacional y el cierre a las doce, inmediatamente después de las campanadas. No hubo uvas. Es muy probable que en otros lugares siguiera la fiesta. Por los alrededores no. Las luces de los pisos que daban a la plaza se fueron apagando. Beba y Quintín también dijeron que se iban a acostar. No me apetecía hacer todo el camino de regreso hasta mi pensión y les pedí que me dejaran quedarme a dormir en la tienda. La verdad era que me consumían las ganas de cerrar los ojos y pensar en una Nochevieja frente a una chimenea bien surtida de troncos gruesos y rezumantes de resina… tumbado junto a Azucena y construyendo, con sus gastadas palabras de amor, una historia nueva y lo suficientemente buena como para no desear volver a abrir los ojos jamás.

Antes de tumbarme eché otra mirada a través del escaparate: algunas brasas de cigarrillo en algunos balcones; hombres que iluminan su insomnio como luciérnagas. En las trincheras europeas los hombres no tendrían ni el consuelo de engañar a la noche con un pitillo. Encendí un cámel mientras me tumbaba en el camastro improvisado.

15

Y un cámel me puse entre los labios apenas abrí los ojos. El penúltimo. Había pagado un duro por la cajetilla, la mitad del salario diario de un obrero, y ni siquiera había tenido la oportunidad de encender uno con sofisticación o con la bronquedad de un hombre recio ante alguna mujer de melena suelta, falda ajustada y alegre por el champán de media noche. O el cine o yo nos equivocábamos de mundo. Un vistazo a los lamparones de mi pantalón y a los puños de mi camisa en hilo vivo me convenció de que el confundido era yo.

Era muy temprano, apenas la luz llegaba a las buhardillas; por fortuna, ese día no se cocía y no se extendía como gas mostaza el olor del pan saliendo de los hornos. Todos los alimentos calientes huelen bien, pero sólo los asados y el horneado de pan y dulces le hacen preguntarse a uno por qué no está comiendo. Escuché cómo, en la plaza, los golpes rítmicos sobre el adoquín del chuzo del sereno se iban alejando, dejándole a la mañana tan transparente de enero el trabajo de velar por los dormidos. Me asomé al escaparate; estaba pensando en coger un tranvía hasta Moncloa y subir a la Cuesta de las Perdices por si algún nuevo rico, o más probablemente el hijo de un nuevo rico, había estampado su coche contra una quinta. Los muertos de Año Nuevo, los ricos inmolados en su afán de apurar velozmente los goces que da el dinero suelen vender muchos ejemplares de las ediciones del dos de enero; en su defecto los heridos.

Entonces vi a la vieja. Encorvada, de luto entero, pegada a las fachadas y arrastrando un costal pesado había entrado en la plaza; un pañuelo negro anudado bajo la barbilla y muy echado hacia delante le formaba una visera que apenas dejaba entrever su cara; pero era oscura, larga, con unos ojos como ascuas, probablemente por el frío. Mujeres como ella, que venían del campo con unas cuantas lechugas, o zanahorias, o berenjenas, a veces incluso un pollo o un conejo, las había a decenas por las calles de Madrid; más raro era que escogiera esta fecha para vender sus mercancías y en este barrio: si algún dispendio hubiera podido hacerse, se habría hecho el día anterior; y más raro aún el comportamiento metódico de la abuela: con sus movimientos lentos, rozando las paredes, examinó cada una de las bocacalles que mordían la plaza; después tumbó el costal en una esquina y se sentó sobre él. Esperaba. Todavía las sombras resistían.

Otra mujer entró en la plaza. También vestía de negro, aunque sin medias, y no se cubría el pelo con un pañuelo, sino que lo llevaba recogido en un moño cómodo, sin barroquismos; por los andares parecía joven y el movimiento amplio de sus caderas me recordó de inmediato a la mujer de las lilas chicas; también su giro de cabeza para mirar hacia atrás sin que se notara. Pero a ésta no se le movía la melena para ocultarle el rostro con la gracia de un abanico. Ya te has vuelto a enamorar de un fantasma, Alfredito; ya tienes a la mujer de Embajadores, su cigarrillo sin cerilla, su vestido azul estampado y las olas de su pelo castaño en la mollera; ya la ves en cada esquina lejana, en cada coche que pasa veloz, de espaldas en los taburetes de los bares y en las colas del racionamiento, entre las mujeres que charlan con viejas estraperlistas atentas a cualquier movimiento sospechoso. Y esta vez no es moco de pavo; esta vez, la mujer de las lilas chicas sale de un piso asaltado por la policía; es una roja o algo muy parecido; esta vez, si la buscas, peor aún, si la encuentras el cielo de plomo que obedece a Franco puede caer sobre ti. Pero, creo que ya lo he dicho, Madrid era entonces un pueblo y no costaba mucho encontrar a alguien. Y yo siempre había perseguido a los fantasmas que me llamaban. Pensando estaba por dónde empezar a buscar cuando la vieja del costal se palpó el halda y sacó un papel, puede que un sobre; la mujer más joven lo cogió y ocultó con rapidez en un basto bolso de cuero que llevaba en bandolera, más parecido a un morral que a cualquier complemento femenino. Se despidieron con un movimiento de cabeza. La vieja desapareció como por arte de magia, como si el saco que arrastraba estuviera cargado de helio. La otra mujer, antes de salir de la plaza, sacó del morral un cigarrillo y lo encendió sin que se pudiera ver la llama del fósforo. Después, tras una casi imperceptible mirada hacia atrás, se marchó. Salí corriendo a la plaza; y corrí por la calle de su probable huida; y empujé las puertas de los portales para tantear las que ya estaban abiertas. Nada. Esfumada. Alfredito, este fantasma quizá sea demasiado listo para ti. O demasiado escurridizo. Y demasiado peligroso. O quizá sea demasiado para ti, en general.

16

Repitiéndome aquel «demasiado», escribiéndolo una y otra vez en servilletas en las mesas de los cafés, agarrándome a él contuve durante algunos días el impulso de buscarla. No fue muy difícil: había demasiados «demasiado» en aquel tiempo, tantos que acojonaban. Era demasiado el celo de la policía, la Falange y el ejército en limpiar el país de derrotados, demasiado el castigo que te caía por serlo, demasiado el empeño de muchos por parecer puros aun a costa de acusar a los demás de cualquier cosa, demasiado el rencor de los heridos, de los hambrientos, de los curas, demasiado el odio a la vida, en especial a la de los demás, demasiados también los hocicos que preferían husmear en los deseos de la gente, casi todos prohibidos, a tener algunos por sí mismos. La mujer de las lilas chicas era una derrotada que todavía tenía deseos. Derrotada y no vencida. La muerte corría tras ella como un lobo babeante; si me ponía a su altura el bocado de la fiera se me llevaría al menos un pedazo. No fue muy difícil intentar olvidarla. La razón me lo pedía. Pero no lo conseguí. El corazón conspiraba. Es más que posible que ella fuera tan sólo una excusa, la excusa que mi cobardía enarbolaba para tratar de convertirse en bandera y dirigir a la batalla mi odio, mi miedo, mi desesperanza, mi rabia, mi pena por tener que vivir en este país (que habían hecho) de lástima.

Hay gente que cree en las casualidades y muchos en una fuerza más poderosa que cualquier otra conocida que gobierna el mundo. El azar o algún dios, afanados en sus cielos, tejen las causas que lanzan como redes sobre el hombre. Yo me suelo echar la culpa de casi todo. Y es que la tengo.

¿Por qué, si no, comencé a pasar las tardes en el estudio fotográfico de mis amigos? No la buscaba, claro, por miedoso, pero me construí la costumbre de escribir mis artículos sobre el mostrador del estudio, donde con sólo alzar la cabeza, en una pose de pensador estudiada, podía ver la plaza, sus esquinas, las cuatro calles que la aliviaban y en los días despejados un atardecer azul con nubes de color lila.

Volvieron a aparecer una noche. Las dos. Primero la vieja, revisando cada calle y parándose a esperar sobre su costal. Después, de nuevo con unos sayos negros y el pelo recogido, ella. Otra conversación nerviosa, apenas sin despegar los labios; esta vez no hubo una entrega sino un intercambio de papeles, quizá sobres. Salí de la tienda sin que me vieran y antes de la rápida despedida. Sobraban sombras para ocultarse; lo que no sabía es qué haría la mujer cuando yo surgiera de ellas. Si la seguía se asustaría, estuviera en lo que estuviese. Debería hablarle con palabras tranquilizadoras, pero me haría sonar a chuleta de barrio antes de tiempo. Me molestaba que pensara eso de mí y no sé por qué: he visto chulos de barrio que, comparados conmigo en cuanto a las mujeres, eran tan eficaces como Dios comparado con Pío XII. No me dio ocasión de hacer el ridículo; en lugar de intentar salir de la plaza lo antes posible como en la ocasión anterior, se dirigió con paso tranquilo hacia el estudio de fotos. Y entró.

La vi charlar con Quintín a través del cristal. Sonreía con timidez, con la cabeza gacha, sin mirar a los ojos, como si no tuviera costumbre de charlar con hombres. ¿Qué coño podría haber estado haciendo en el piso de Embajadores donde los guardias se habían cargado por lo menos a un tipo? Entré empujando con fuerza la puerta para que sonara la campanilla que, supongo por la curvatura del fleje, permanecía muda si empujabas sólo lo justo.

Ella giró la cabeza con rapidez aunque con el aire de no querer parecer alarmada que yo ya le conocía; sin embargo, en sus ojos, grandes y del color negro rojizo de las aceitunas que llaman de Jaén, se encendió el miedo y su mano derecha entró en el morral con furia. Me había reconocido; si se había asustado era porque me había reconocido. Noté un aroma muy leve a azafrán.

—¿Cómo estás, Quintín? —dije para tranquilizarla. Quintín me miró extrañado: no hacía ni dos minutos que le había dejado con la palabra en la boca.

—Trabajando —me respondió con un guiño cuando creyó haber captado mis intenciones. Y añadió dirigiéndose a ella—: ¿De las dos?

Se refería a dos fotografías de tamaño pasaporte que había sobre el mostrador. Ella asintió y dejó de mirarme.

—¿En qué tamaño? —preguntó Quintín.

—Lo suficiente para que se distingan los ojos y ponerles un marco —respondió ella. Su voz raspaba por falsa—. ¿Cuándo las puedo recoger?

—Si vive cerca y le urgen, pásese mañana por la tarde. Si no, déjelo hasta pasado, por si acaso.

Ella asintió y se giró para marchar con excesivo interés en que yo no cruzara mi mirada con la suya. Había sacado la mano del bolso, aunque la tenía agarrada al tirante, dispuesta a hundirla de nuevo. Le hice una seña a Quintín rogándole que la entretuviera más tiempo.

—¿A nombre de quién apunto el encargo? —preguntó mi amigo.

—Es igual; vendré yo misma a recogerlas.

Su voz no podía ser su voz; sonaba como si las palabras salieran lijando su garganta.

—No siempre está Quintín tras el mostrador —dije yo.

—Es obligatorio además —añadió Quintín.

—Cecilia —respondió ella. Quintín anotó.

Estuve a punto de decirle que si me permitía acompañarla, que si no le importaba que me colgara de su brazo y llevarme con ella hasta donde estuviera su infierno, que si quería daba un salto y le traía un jarabe para la carraspera, que por conservar su mirada cargaría yo con el morral, aunque tuviera dentro secretos suficientes para mandarme al garrote, que su cara tristona, sus ojos de fiera, su cintura estrecha, la pena y el miedo que fruncían su boca tiraban de mí como el vértigo. Pero ella salió sin hacer sonar la campanilla. Y no me hubiera creído. Demasiada literatura generaba entonces el follar poco. Ni yo me lo creía del todo. De lo que sí estaba seguro era de que sentía ganas de llorar al ver cómo se hundía en la negrura de la calleja, fundidos el vestido y su moño en las sombras, hasta que sólo pude distinguir su nuca blanca y sus pantorrillas. Imaginé su casa de húmedas paredes como lo más seguro que tenía su vida; y supe que en su abrazo hasta un tipo como yo podría olvidarse de que respirar es lo primero.

—¿Qué le has visto? —preguntó Quintín.

—No sé. Nada.

—Demasiado flaca y apenas se arregla.

—Sí.

No quise decirle que tenía un vestido con colores de cielo.

—¿Y esa voz? —dijo Quintín con ironía.

—No es la suya.

Miré las dos fotos que había dejado. Una era de ella, cinco, seis, diez años antes, cuando aún reía; la otra de un hombre, también casi un muchacho, con cara de listo pero más de bueno, con el pelo revuelto y en la boca un gesto que quería ser serio y que quedaba inmediatamente desmentido por los ojos guiñados para contener la risa.

—¿Me haces a mí también una copia de la de ella?

—No es ético.

—Ni yo un maníaco, joder.

—No lo digo por lo que vayas tú a hacer; es por la mujer, podría estar metida en un lío; las dos fotos han sido pintadas.

—¿Pintadas cómo?

—A él le han cerrado el cuello de la camisa y le han anudado una corbata; a ella le han redondeado los picos como si fuera una blusa, pero la fotografiaron con una camisa de hombre, igual o muy parecida a la de él; para garantizar el efecto también le han pintado un collar de cuentas.

Para tomarse todo ese trabajo hacía falta tener muchos medios y mucho miedo.

—¿Cómo?

—Con grafito. Se pinta el original y la fotografía se vuelve a fotografiar.

Miré de nuevo las fotos y traté de imaginarles sin corbata y collar.

—¿Milicianos?

—Lo más probable.

Callé el hecho de que, además de haber sido milicianos o algo así en guerra, ahora podían ser guerrilleros, o bandoleros cuando les nombraban en los informes policiales o en las más que escasas noticias en los periódicos.

Cecilia volvió a recoger las ampliaciones una mañana muy temprano, cuando no estábamos en la tienda ni Quintín ni yo, que pateábamos Estrecho tratando de localizar a los propietarios de un edificio que se había venido abajo tras una larga agonía desde que fuera herido por las bombas alemanas.

17

Cecilia desapareció. En vano pregunté por ella en porterías, tiendas y hasta iglesias; también a los serenos de todo el trazado metacarpiano de las calles que unen Magdalena con Lavapiés. Ni rastro. Aunque, la verdad, siendo la foto antigua era bien poco lo que podía decir de ella para que la identificaran. Viste de negro, sin medias, con un moño poco historiado, sin afeites, con los ojos oscuros, muy delgada (aquí solían reírse) y, sólo al final, cuando lo preguntaban, les decía que se llamaba Cecilia, cada vez más convencido de que no era ése su nombre. Me hablaron de decenas como ella que no eran ella. Me hablaron de muchas como ella que ya no eran nadie; me contaron de sus muertas, de sus desaparecidas, de las que estaban en Francia o en América, a veces de sus encarceladas. Pero de la mía no.

En marzo había perdido toda esperanza. Como en casi todas las primaveras de mi edad reproductiva tuve que conformarme con los suspiros, la desidia, las hojas de las libretas llenas de un nombre y unas cuantas mentiras compasivas: volverás a encontrarla cualquier día y entonces será ella la que te quiera; no te convenía; te habrías hartado al poco tiempo. ¡Pero quién coño tiene muchos más días, quién coño busca la conveniencia, quién pretende querer para siempre! Es ahora cuando la necesito, en esta noche de estrellas, con sus líos inconvenientes, brevemente o por los siglos, que este Madrid me ahoga. Porque al fin y al cabo era eso: no me atrevía a gritar «¡miseria!» y Cecilia sí. Ahí estaba el secreto. Junto a ella, aunque ya manchado, podría lavarme la mierda. Ahora.

Mientras tanto, y a pesar de que coger la estilográfica o la Underwood era un tormento siempre que no fuera para escribir «Cecilia», mi colaboración con el gordo Pavón se ampliaba. Es decir, ya no sólo le redactaba sus sueltos sobre sucesos; ahora también me había encargado sus comentarios para la radio, una colaboración diaria de tres minutos sobre los crímenes del Madrid antiguo: hablar del hombre del saco para no hablar de las *sacas*.

Para entregarle cada día los originales, Pavón me citaba en el Morocco, un bar de cócteles, de chicas, de naipe y de estraperlo que ocupaba el bajo del edificio de la emisora de radio. Me aficioné al Morocco. Era más barato que Chicote y nadie te miraba mal por tomar gin tonic, cóctel de rojos porque había sido el que emborrachaba a Hemingway cuando volvía de sus excursiones al frente de la Ciudad Universitaria. Las chicas estaban tan inalcanzables en uno como en otro: entre doscientas y cuatrocientas pesetas, cuando había meses que yo no llegaba a tanto y era, duro arriba duro abajo, lo que cobraba, por poner un ejemplo, un sargento o un teniente de la Guardia Civil. ¡Anda la hostia, ahora que caigo, a lo mejor porque un polvo limpio costaba un sueldo licuábamos tan mala sangre la Benemérita y yo!

Aun con esos pequeños inconvenientes, el Morocco resultaba para los que no siempre traíamos la chaqueta recién sacada del tinte bastante más acogedor que el famoso local de la Gran Vía e incluso, de cuando en cuando, si faltaba un jugador, permitían que algún raído compensara sus penas de amor pegándole a la baraja. En mercado negro andaban parejos y también en almas ambiciosas. La falta de escrúpulos se reparte plegándose a la misma ley que los líquidos en vasos comunicantes.

Y el Morocco tenía a Ramiro, el pianista. También un par de muchachas cantaban boleros ya por la noche, pero nada para un hombre triste como que el piano te deje cantar la canción a ti solo. ¿Cómo es posible que letristas tan lejanos en el espacio y en el tiempo hayan podido saber lo que ibas a sentir tú años después en tierras remotas y por mujeres que a lo mejor aún no habían nacido? ¿Cómo un pianista puede saber qué es lo que tu corazón herido quiere escuchar en ese preciso momento? Ramiro era infalible. Siempre sabía si esa tarde era yo el que prefería hablar y decir «bésame mucho» o si lo que estaba necesitando es que fuera ella la que llegara y me dijera «amado mío» y si, tras mi íntima conversación, estaba dispuesto a prometer nidos exclusivos encima de las montañas o prefería rajarme con un reproche: «Aunque tú fueras de todos, yo soy de ti». Infalible, ya digo.

Una noche, después de que Pavón me pagara una quincena, perdí la cuenta de los gin tonics que llevaba bebidos (la del dinero gastado también, aunque eso sólo lo supe a la mañana siguiente) y, en pugna con las meretrices, me acodé en el piano para exigir una y otra vez que Ramiro interpretara «Sólo cenizas hallarás», si es que el bolero se llama así. Sólo cenizas hallarás de todo lo que fue mi amor. No iba por mal camino en el asunto de la combustión. La ginebra me quemaba el pecho y, sin contemplaciones, una buena parte del duodeno (de esto tampoco me percaté del todo hasta la mañana siguiente). En algún momento, supongo que para aliviarse de mi obsesión, o quizá aconsejado por la dueña del establecimiento que no veía el momento de que me largara, tal vez sólo para echarse un cigarro al fresco, Ramiro salió del Morocco y me dejó solo. Ni siquiera entonces se apoderó la congoja de mí. No se gasta uno el salario en paraísos artificiales para ser expulsado a la primera de cambio y era consciente, además, de que al día siguiente por la mañana no tendría hambre sino al contrario. Mientras esperaba el regreso de la banda sonora me entretuve en hacer coincidir mis dos ojos reflejados en la madera barnizada del piano con dos de los rodales mate que mi vaso había dibujado bien juntitos. Un camarero de gesto hosco secó la superficie con un paño. Me quedé sin saber cómo me sentarían unas gafas redondas; a cambio aprendí lo mucho que te señala estar tan solo.

Cuando Ramiro volvió venía alarmado. El piano, supongo que para funcionar como reclamo para los transeúntes, estaba muy cerca de la puerta de entrada.

—¡Ven, rápido, sal conmigo! —dijo Ramiro casi susurrando.

Le seguí hasta la calle. Caían profusas unas gotas gordas como lapos. Esta primavera el cielo ayudaba a los campesinos y jodía a los metropolitanos; sin envidias, otros años es al revés; así de veleta es el cielo en sus afectos.

—¿Adónde coño ha ido? ¡Estaba aquí!

Ramiro señalaba la acera junto a la fachada, justo al lado del portal de la emisora de radio.

—La he dejado sentada justo ahí, apoyada en la pared.

—¿A quién?

Noté cómo Ramiro dudaba y decidía mentir.

—Una mujer. Se desplomó delante de mí. Mientras me echaba un cigarro.

—Joder, Ramiro, que las desmayas.

—Vete a tomar por culo.

Ramiro debe de andar por los sesenta y es de los pocos que confiesa seguir queriendo a su mujer, que ronda la misma edad. Llegó a sargento en la guerra y pagó tres años de cárcel, dos de ellos esclavo en obras públicas. Todavía tiene que presentarse cada poco en comisaría, donde hasta el año pasado aún se llevaba de vez en cuando una paliza. Sin su mujer no habría salido vivo o cuerdo, dice cuando le fuerzas. Ahora miraba, quizá en exceso desamparado, hacia el final de la calle, más allá de la cortina de lluvia.

—¿La conocías?

Ramiro alzó los hombros. La conocía. Si no ¿por qué habría de preocuparse? Desmayos, cuerpos caídos en la acera, por hambre o enfermedades respiratorias, no resultaban tan extraños en aquellos días.

—Ven, Ramiro, vamos dentro, que no tengo dinero para comprarte antibióticos para la pulmonía.

—Preocúpate tú por tus pulmones y el resto de tu casquería.

Era un tipo particular y habitualmente afable. Se arrepintió enseguida de su rudeza.

—Perdona pero… sí, creo que era una conocida. Y estaba enferma, y asustada, como en las últimas.

—Vamos a pedir otra copa y me lo cuentas.

—Dos cafés o no hay trato.

Asentí y regresamos al bar. Con su insistencia en el café Ramiro me ahorró las veintidós pesetas que encontré en mis bolsillos al día siguiente; puede que también retrasara algún tiempo la operación de úlcera que finalmente, y años más tarde, padecí. Aun así le traicioné: no le informé de que, mientras él miraba hacia el final de calle, tras la cortina de lluvia, yo había visto, arrimado a la pared, un cuaderno de tapas negras. Quizá no le dije nada porque acababa de mandarme a tomar por culo; o quizá porque intuí que allí podría haber una historia de hambre y padecimientos que algún día podría publicar; tal vez porque estaba borracho y, forrada la libreta con piel negra, no supe en el primer momento si se trataba de una cartera. El caso es que me la guardé en el bolsillo interior de la americana y no se lo conté. Ahora no me arrepiento.

Pedimos dos cafés, uno de ellos bien cargado, y nos sentamos a una mesa.

—Se llamaba, o se llama, Cecilia Esteve.

Joder. Cecilia. El pianista jugaba con mi estómago como si fuera una de esas vejigas de cabra o de vaca que los mongoles rellenan para jugar al fútbol.

—¿Flaca?

—Delgada era, sí. Y así sigue. ¿La conoces tú también?

—Puede. ¿Los ojos negros rojizos, del color de una de esas aceitunas de Jaén?

—Estás borracho. Negros sí.

—¿Treinta y tantos?

—Cerca de los cuarenta. ¿Es la misma?

—No.

Pero pudiera serlo. El pulso se me aceleró como si lo fuera y la libreta me quemaba a la altura del corazón, donde mi cartera ya había ardido.

—Cuenta.

18

Lo que Ramiro vino a contar es que conoció a Cecilia en el 36, cuando el Frente Popular tomó posesión de las carteras ministeriales, un poco después. A ella, a Cecilia, la habían nombrado jefa de sección de algo en el Ministerio de Instrucción Pública, algo relacionado con la enseñanza musical, y a él, a Ramiro, jefe de estudios del conservatorio de una ciudad de provincias. Se explayó Ramiro en las muchas deficiencias que padecía su conservatorio (por su minuciosidad en la enumeración de las deficiencias no recuerdo muy bien ni el cargo de Cecilia ni la ciudad donde el relator enseñaba música) y en la poca esperanza que tenía de corregirlas, sobre todo porque la enseñanza musical no parecía preocupar a nadie en un país recorrido por rumores constantes de golpe de Estado inminente. Hasta que un día, durante otra de sus desesperanzadas visitas petitorias al ministerio, Ramiro encontró al otro lado de la mesa a una funcionaria joven y sonriente, Cecilia. Hicieron de inmediato muy buenas migas. Los dos eran asturianos; de familia de mineros ella, hijo de maestro de escuela él. Los dos se habían venido a Madrid a estudiar; ella a sacarse el bachillerato gracias a un profesor de un Ateneo libertario; él, aunque mucho antes, a la Normal, que compaginó con la carrera de piano; después ella, ya trabajando, se licenció en Filosofía y Letras. Los dos eran de izquierdas (prudente, no quiso decir el músico en qué partidos o sindicatos). Total, que contra todo pronóstico, a Ramiro le llegaron dos trombones, diez flautas, tres guitarras, un piano y suficientes hojillas de papel pautado. Por entonces estaba convencido de que, con ayuda de Cecilia, conseguiría hacer de su conservatorio provinciano uno de los más prestigiosos del país y puede que de Europa y demostrar que la República progresista no dejaba a un lado por superflua la formación musical de sus masas. Pero se sublevaron los militares y en muy pocas semanas llegaron a Madrid. Se supo enseguida lo que hacían en las poblaciones que tomaban: exterminio, como a perros, sin juicio. Preocupado, en cuanto le fue posible Ramiro llamó al ministerio para hablar con Cecilia y ofrecerle su casa si las cosas se ponían muy mal en la capital. Otra funcionaria le contó que Cecilia ya no trabajaba allí, que se había alistado en los primeros días y ahora andaría por la sierra, combatiendo. La misma funcionaria pudo informarle de que no, los siete violines que faltaban no habían llegado.

Ramiro no volvió a saber nada de su amiga, aunque una vez, en el Ebro, escuchó hablar de una Cecilia que hacía misiones de información y sabotaje tras las líneas fascistas, y que bien pudiera haber sido ella.

Se le llenaron los ojos de lágrimas al pianista.

—Está viva, Ramiro.

—No lloro sólo por ella.

Le acompañé a casa. Antes de abrir el portal, cerró sus ojillos cautos y me dijo:

—Si la conoces y quieres vivir tranquilo, aléjate de ella. No se va a rendir nunca.

—No la conozco. Lo de antes ha sido una tontería de borracho.

Nos despedimos y corrí a mi pensión. Cada dos pasos tocaba la libreta que escondía. Quizá era mi Cecilia. No la quise abrir hasta llegar a mi cuarto.

19

Era una libreta cara, del tamaño de una billetera de caballero de las grandes, forrada, ya lo he dicho, de piel teñida
de negro, con unas doscientas hojas del color amarillento
que siempre le he supuesto al papiro; uno de esos cuader-
nos que llaman de viaje y que imaginamos emborronados
por paleontólogos y egiptólogos, exploradores, escritores
viajeros y militares con graduación, convencidos de que
sus notas de batalla tendrán interés cuando por fin se sepa
que son los próximos bonapartes.

Era una libreta que podía pertenecer a la mujer que
había puesto algo de interés a mis trajines de malfollao
por el Madrid angustiado, negruzco y santo de la posguerra. Y no me decidía a abrirla.

Que no le perteneciera era una posibilidad, pero me
preocupaba más que sí fuera de ella. Si mi Cecilia había escrito en esas páginas, si había anotado una dirección, un
nombre, una fecha, si en sus notas constaba algún dato
que dejara un rastro descifrable, tras él iría yo, y ya me
podía olvidar de mis días de crítico mirón, de quejumbro-

so silente, de cronista tieso de cenador. Me llevaría a balcones de pisos asaltados por la policía, a esquinas vigiladas, me incluiría en conspiraciones condenadas, haría de la quietud sobresalto, trucaría mis fotos. Y un día, sorprendidos en cualquier callejón, haría de mí un muerto desdentado por los adoquines.

Pero también es verdad que eran tiempos de épica y, como bien decían en sus arengas los héroes antiguos: ¿Acaso en el lecho de muerte a una edad razonable no habría de cambiar con gusto el tiempo que había pasado desde entonces por diez minutos, diez días, diez meses a su lado y cayendo en la batalla por su libertad y la mía? Puede.

Una goma como de braga cerraba la libreta. Meter los dedos y quitarla. Soldado arengado, me atreví. La letra menuda, ahorrativa, en tinta azul y en grafito, las páginas sin márgenes, aprovechadas hasta el mareo por líneas y párrafos horizontales muy apretados, por párrafos verticales y párrafos inclinados en los huecos, junto a los hilos del canto, tachaduras, flechas que cruzan las frases para señalar arriba y abajo, las carillas de atrás y adelante, planos temblorosos de calles anónimas, palabras destacadas por su mayúscula (Madrid, Jarama, Maestrazgo, Alicante…). Sí que cayeron algunas hojas sueltas, cartas con otra letra que escribían con mayúscula Querida, Mi Amor, Tesoro, Para Siempre.

Había notas crípticas para citas, horarios, lista de la compra breves, croquis, ya he dicho, algunas cifras que parecían de teléfono aunque a todas les faltaba un dígito, y muchas notas sueltas sin orden ni concierto pero que ordenadas con mucho esfuerzo dieron como resultado algo parecido a un diario.

No puedo transcribir por tanto y al natural el contenido de la libreta, pero sí la interpretación que hice y las páginas que escribí para aclararme.

20

Cecilia no sabe por qué, pero desde que les formaron a todos en la explanada, los hombres le han hecho caso, la obedecen. Y eso que ella apenas habla:

—Estate quieto, hombre, no atosigues —es lo más que ha dicho y porque un hombre, a su lado, monta y desmonta el fusil sin mirarlo, sólo por nervios o por aburrimiento o por miedo.

Pero pronto empieza a comprender. La novedad de verse dentro de un mono azul, de tener un arma entre las manos, de estar rodeada de hombres que baladronean, que adelantan de boquilla lo que les van a hacer a los fascistas que hay en Guadarrama, la vergüenza que siempre ha sentido ante los machos, le hacen tener cientos de ojos, incluso en la nuca, y su cerebro no deja de pensar en ella misma. Y ve cómo, aun sin querer, los gestos de los hombres se tornan serios al verla, en parte por la sorpresa, en parte, cree ella, porque una mujer armada y dispuesta rebaja el heroísmo de los más valientes, atenúa el halo que da ser los primeros que, con desprecio de sus propias vidas y con armas de desecho, van a subir a la sierra a defender la República. Se ponen serios al principio y luego, según los casos, sonríen. La sonrisa de algunos es cruel, como si pensaran que, si ha tenido los huevos de alistarse y es tan lista, allá se las componga sola y que cargue con lo suyo. La sonrisa de otros es pícara o coqueta y se ofrecen a ayudarle en cualquier cosa, como si trataran de ganar puntos para cuando la encuentren a solas en la trinchera. El caso es que, por una razón o por otra, la obedecían.

—Estate quieto, hombre, no atosigues —ha dicho.

Y el hombre que calmaba su ansia con el fusil se ha quedado quieto. Después, cuando desde todas partes llegan voces que gritan «a los transportes» y los hombres se arremolinan en torno a los camiones, Cecilia les pide orden y, con las conocidas sonrisas, todos se ponen a hacer cola para subir, mucho más tranquilos, formalitos. Como si les vigilara su madre. Uno a uno suben al transporte con disciplina. El mando, la autoridad, el mando verdadero que acababa de alcanzar le es confirmado por el respeto de una voz de adolescente:

—¿Lo puedo pintar? —le pregunta como si fuera ella la jefa un muchacho de catorce o quince años, tan estrecho que sus caderas no son capaces de sostener el pantalón de faena que se le cae hasta medio culo.

—Date prisa —responde Cecilia.

Y el chico va a buscar una brocha y un cubo de pintura blanca y escribe «CNT-FAI» en el lomo duro del transporte. Cuando termina el muchacho unos aplauden, otros silban, pero todos ríen cuando un grupo empieza a gritar con entusiasmo, puede que hipocondríaco, viva la revolución social, abajo los fascistas, mueran los generales, viva la clase obrera. Todos corean. Después los camiones arrancan, salen de la explanada frente al edificio de la cárcel de la Moncloa y cogen la carretera de La Coruña. Al remontar la Cuesta de las Perdices ya se ve mejor la sierra. Buscan con ojos ansiosos signos de combate en las laderas. Pero todavía es pronto.

—Los fascistas están del otro lado, hacia Segovia —dice un hombre mayor, casi un anciano.

—Ahora del otro lado, como san Lorenzo, van a pedir cuando les friamos —quiere bromear un joven de manos blancas, muy fino, con bigotito, seguro que un dependiente. Y le abuchean entre risas por su referencia religiosa.

En el camión que va delante Cecilia ve a otra miliciana que la saluda con el puño en alto y siente cómo el estómago se le encoge de orgullo. No van a morir, no va a caer Madrid, volverán en esos mismos camiones para gritar por las calles «ya está, la República y Madrid son nuestros, de la gente».

A Cecilia no le ha sido fácil alistarse.

El reclutador, sin insignias de partido porque el llamamiento a la defensa es para todos, la mira de la cabeza a los pies cuando le toca el turno de ponerse frente a la mesa.

—Si tu padre estuviera aquí, puede que no te dejara.

Pero Cecilia no tiene allí a su padre, que está en una fosa común desde el 34. El minero ya no dice ni que sí ni que no.

—El panfleto decía hombres y mujeres, anarquistas, comunistas, socialistas, republicanos…

—Ya, ya.

Cecilia salió de su casa camino del ministerio una mañana de julio del 36 y una señora le entregó la hoja llena de exclamaciones. A las armas, a la defensa de Madrid, por la República, por la clase obrera. No cogió el tranvía. Pensó ir al trabajo caminando. Se podría decir que cuando se quiso dar cuenta estaba en Francos Rodríguez, en la puerta de la oficina de alistamiento montada por el Quinto Regimiento. Pero no fue así. Desde que leyó el panfleto supo que iría a la sierra.

—¿Servicios auxiliares? —le pregunta el reclutador.

—Vete a la mierda —dice tajante y se arrepiente; nunca había sido tan brusca con un hombre, menos con un superior—. Perdona, son los nervios.

—No te preocupes, que en eso somos iguales.

—Lo que haya —duda ella.

—El frente frente es para hombres.

—Mientras que queden, supongo.

La respuesta le gana el destino.

—¡Pues vete al frente, muchacha!

Por eso está en aquel camión camino del frente frente. Cecilia no se equivoca. Sabe que hacen falta todas las miras posibles en la sierra madrileña.

Han llegado a Lozoya hacia las once y el reloj de la torre da las tres. Alguien ha dicho que vienen a defender los embalses que quitan la sed a Madrid. El sol de julio castiga casi en lo alto y marca al pie de las casas estrechos pasillos de sombra muy concurridos, aunque la mayoría son tan jóvenes y están tan excitados que el paso entre la sombra y la solana no significa para ellos más que para un peón que avanza del negro al blanco en el ajedrez. Lo único que quieren es luchar. O eso dicen. Que les suban de una vez al monte.

Algunos dormitan a la sombra de la iglesia. Cecilia, aunque lo intenta, no; muchos de los que pasan se creen con derecho a decirle algo. Si parecen un ejército es de mendigos piropeadores. Monos rozados y zurcidos, al cuello pañuelos rojos o rojos y negros, alguna insignia de partido o sindicato en la pechera, correajes sólo los que ya parecen veteranos y tienen una pistola para colgar, fusiles viejos y contadas metralletas.

Hacia las cinco llegan las órdenes.

—¡Venga, cojones, moveos, que hay que llegar arriba antes del cambio de guardia!

Se han acabado las contemplaciones. Empiezan a verse caras cenicientas; más adelante le dirán a Cecilia que se llaman «cara de torero» o «cara de guerrillero». Ya nadie la mira como a un bicho raro, ni tampoco la saludan otras milicianas. Porque nadie la ve.

—¡Los del trece, el catorce, el quince y el veintiuno, a vuestros transportes cagando leches!

Cecilia no entiende por qué unas veces les llaman camiones y otras transportes; hay gente que no se entera. Esto no es el ejército, apenas les han enseñado a manejar el fusil. Por eso hay tantos que caen al suelo y el ruido hace que muchos mandos se agachen: tienen miedo a que uno se dispare.

—¡Me cago en el copón, el fusil agarrado hasta que se te queden los nudillos blancos, que es tu vida!

De nuevo en la carretera; después una pista; los camiones cada vez más deprisa; algunos dicen que corren porque ya por aquí hay veces que caen las bombas. Mira Cecilia al cielo, que se va tiñendo de malva.

—No las ves. Las bombas se oyen —dice alguien.

—Menos la tuya —remata un agorero.

El convoy se detiene al final de la pista, en una curva que termina abruptamente contra una pared de tierra de la que salen y se retuercen y a la que luego entran de nuevo, como gusanos, las raíces de los pinos. Huele a lo pegajoso de la jara que comienza a enfriarse al final de un día de julio. Y a gasolina.

—¡Todos abajo! ¡Subid talud y esperad donde empieza el camino!

Cuando todos se reúnen comienza la marcha. Más de una hora por una senda empinada. El día no ha oscurecido del todo, pero en la ladera las sombras son ya las dueñas. Al llegar a una pradera la columna se detiene.

—Los del catorce y el quince detrás de mí —susurra una voz y un hombre se separa del grupo para que los demás le vean. Puede tener ¿qué?, ¿veinticinco años?

Le siguen hasta el final del claro donde la senda se bifurca. El mando de veinticinco años coge el nuevo sendero de la izquierda, el que más sube, tan empinado que parece que se dirige sin curvas de alivio hasta la cumbre. Cecilia está tan agotada que, para seguir, se obliga a recordar constantemente por qué ha venido y quién se agazapa en la otra vertiente. Por fin llegan a un arroyo y les ordenan parar y silencio. Tras unos árboles Cecilia puede ver una luz que se mueve, se balancea; hacia ella se dirige el mando. Tarda unos diez minutos en regresar; le acompañan diez u once milicianos. Cada uno de ellos se hace cargo de una sección. Finalmente el mando se dirige al último miliciano que queda sin misión asignada:

—Tú, lleva a la camarada al puesto de la peña.

—¿A la peña? —pregunta el miliciano con un dejo que a Cecilia le parece de espanto.

—¡Sí, a la peña, coño, a la peña!

El miliciano se lleva el puño a la sien para saludar al mando y con la cabeza le hace una seña a Cecilia para que le siga. Cruzan la hilera de árboles. La luz que se veía es un candil de aceite que cuelga a la entrada de una cueva; bajo el candil tres hombres se inclinan sobre una mesa llena de documentos. Hay más mesas y sillas de madera, de las de tijera, como las de las verbenas.

—Es Modesto —dice con orgullo el miliciano sin dejar de andar y refiriéndose a los de la cueva—. ¿Cómo te llamas?

—Cecilia.

—Yo Roberto, el caminito.

—Descuida, que te sigo.

—No, quiero decir que me llaman así, Caminito.

Cecilia ríe por primera vez en muchos días y nota que Roberto se ha enfurruñado porque baja la cabeza y aprieta el paso. Van campo a través. Cecilia le alcanza y se disculpa:

—Perdona.

—Me llaman así porque me conozco todas estas trochas con los ojos cerraos.

—¿Puedes ir un poco más despacio?

—No. Los camaradas de la peña deben estar que trinan. Les ha llegado sólo la mitad del relevo.

—¿Tú y yo somos la otra mitad?

—Tú eres la otra mitad. Yo guío.

El tono de Caminito se ha ido haciendo más suave y Cecilia se atreve a preguntar:

—¿Por qué te has asustado cuando me ha mandado a la peña?

—Por nada. Yo no me asusto.

—Me estás engañando.

Caminito no contesta y Cecilia no sabe si es porque no quiere o porque se ha detenido y hace como que huele el aire. Al cabo de unos segundos:

—Fíjate en mí.

Caminito avanza unos metros, se agarra a una mata de jara y se deja caer en una zanja.

—Esto es una trinchera. Nuestra.

—¿No hay nadie?

—Es un poco raro, sí. Nadie me ha pedido el santo y seña. Pero hasta aquí es nuestro todavía.

Se ha sentado Caminito en el fondo de la trinchera para encender un cigarro. Cecilia no ha visto la cerilla ni puede ver ahora la brasa, que el hombre esconde en su puño hueco.

—Cuando salgamos de la trinchera es tierra de nadie y no se puede fumar. Siéntate y descansa. Tampoco se puede hablar.

—¿Tan cerca están?

—Si andan con ánimo, a lo mejor les escuchas cantar.

Cecilia siente un repeluzno y cruza los brazos para frotárselos con las manos.

—A mí también me da frío. Y eso que es julio —dice Caminito riendo.

—¿Qué pasa en la peña?

—He sido yo el que se ha equivocado, joder. Arturo tenía razón.

—¿Arturo es el chico que nos ha traído?

—¡El chico dice! —Caminito sonríe—. Es capitán. Y listo como él solo.

—Arturo tenía razón ¿en qué?

—No quieras aprenderlo todo el primer día.

Cecilia sabe que es una evasiva; Caminito no se atreve a sostenerle la mirada. Y ella da con la clave:

—Si yo fuera un hombre me lo dirías.

Ahora sí la mira Caminito evaluando; asiente después con la cabeza:

—La peña es un puesto bien jodido, el que más por aquí. Por eso me ha extrañao al principio que Arturo te lo endosara.

—¿Y al final?

—Luego me he dao cuenta de que hoy está allí Reyes. Las noches que le toca guardia nunca le han matao a un camarada.

—¿De cuántos es el puesto?

—De dos y un enlace. Coge el fusil que nos vamos. Y no te lo tercies a la espalda; llévalo por delante.

Caminito hunde el pitillo en la tierra, se pone en pie y lanza su mosquetón arriba, fuera de la trinchera. Va a subir a pulso, pero se gira:

—Me gusta que tengáis cojones, criatura.

Cecilia le mira extrañada.

—Las mujeres, digo.

Roberto el Caminito se alza y sale a campo abierto.

Cecilia le imita. Andan unos diez minutos y el guía se detiene; husmea el aire otra vez.

—Joder, me he perdido. Es imposible —susurra y se lleva un dedo a los labios para que Cecilia no responda. Y vuelve a susurrar con tono de plañido—: ¡Me cago en la leche!

Antes de que Cecilia comprenda nada, la manaza áspera de Caminito la empuja por el cogote hasta hacerla caer de bruces, hasta que sus labios besan la tierra. Desde el suelo le ve saltar una zarza y luego agacharse y desaparecer. Cecilia ha quedado sobre su fusil, que le hace daño en el pecho. Mucho. Pero no se mueve; sólo se coge una mano con la otra para que no le tiemblen. Y siente un retortijón. Después otro, que duele.

Caminito regresa arrastrándose; con dos dedos levanta la barbilla de Cecilia para asegurarse de que está bien; después, caviloso, limpia el machete con su propia camisa y se decide a hablar:

—Ve detrás de la zarza —susurra.

—No —dice Cecilia pensando que quizá el líquido del machete sea sangre.

—Ya no queda ni uno —dice Caminito sin mirarla y como si le adivinara el pensamiento—. Va a ser mejor.

—¡Que no! —casi grita Cecilia por la vergüenza.

—Como quieras. Camina doblada.

Reanudan la marcha ahora inclinados. El vientre le duele. Quisiera ponerse en pie y tensar su abdomen, permanecer inmóvil unos instantes. Pero no quiere detener a Caminito, por no hablar y porque él ya le ha dado antes la solución. ¿Cómo podía saber Caminito que…? No termina su pensamiento porque el vientre le duele más, se hincha, se contrae y al final estalla. Cecilia ya no tiene miedo, si acaso vergüenza. El olor. Y aquí no habrá ni un regato. Aunque el cielo está negro como la mala suerte, cien metros más allá se distingue un risco, más negro aún. Caminito se para, retiene a Cecilia de un codo e imita el canto del búho. Espera unos segundos y vuelve a ulular. Escuchan una especie de palmadas suaves y huecas, como el ruido de las alas de un ave grande que frena su caída hasta posarse en la rama de un árbol. Cecilia sabrá más tarde que esas palmadas se dan con la mano más o menos hueca contra la culata del fusil.

—Ya estamos. Ésa es la peña y son los nuestros.

Bajo la peña hay tres milicianos con gestos hoscos. Caminito les estrecha la mano. Cecilia se queda unos pasos atrás.

—¿A ése qué coño le pasa? —pregunta el que lleva un pañuelo rojo y negro al cuello.

—Es ésa. Y es nueva —responde Caminito.

—Lo que te faltaba, Reyes —dice un tercero riendo—. Nosotros nos vamos.

—Salud —se despide Reyes. Y dirigiéndose a Cecilia—: ¡Ven aquí!

Cecilia no puede, no quiere acercarse, y echa a correr ladera abajo, aunque todavía escucha decir al que llaman Reyes:

—¿Qué hace esa imbécil?

—Déjala, se ha cagado —responde Caminito mientras saca la bolsa de picadura para liarse un cigarro.

—Voy a por ella. No te descuides que esta noche están jodiendo.

—Lo sé. Me he encontrao a dos —responde Caminito.

Reyes baja muy despacio, sin hacer ruido. Cecilia, que se ha quitado el mono y las bragas y se lava con el agua de la cantimplora, no le ve hasta que le tiene al lado. Y se esconde detrás de la mochila.

—No te preocupes que no se ve ni leches. Deja el mono ahí. Ahora le quito uno a un muerto. Vamos, que nos la estamos jugando. En el petate tengo periódicos para que te seques.

Reyes le da la espalda para esperar. Cecilia tiene tanta vergüenza que hasta los ojos le arden. Pero no ha podido distinguir ni el más leve asomo de burla en las palabras del miliciano. Como si cagarse encima fuera cosa de todos los días. A lo mejor aquí sí, piensa Cecilia y, más tontamente, repara en que es la primera vez que, de adulta, un hombre, dos para ser exacta, huele sus deposiciones.

—¿Ya? —pregunta Reyes sin girarse.

—Sí —responde, aunque cree que ni ella misma se oye.

—Cálzate.

Reyes recoge la mochila de Cecilia y comienza a subir por donde ha bajado. Cecilia asciende tras él, desnuda de la cintura a las botas y con la cantimplora en la mano. La blusa bordada que lleva puesta le parece el colmo del ridículo.

Arriba, Roberto el Caminito está cuerpo a tierra en lo alto de la peña. Cuando les escucha baja.

—Se siguen moviendo.

—Es para asustar —dice Reyes quitándole importancia—. Voy a por un mono para la compañera.

—Ya lo he traído yo. Está en el nido de la ametralladora. Lo siento, pero el camarada no llevaba bragas.

—Ya está bien, joder —dice Reyes con los dientes apretados.

—Era una broma, coño. Si no vamos a poder ni reírnos…

Reyes sale un momento del espacio visible y vuelve con el mono. Cecilia lo coge y se viste allí mismo. La prenda es de costuras duras para la entrepierna pero le queda holgado.

—Bueno, yo me voy a echar un rato —dice Caminito.

Y guiñándole un ojo a Cecilia:

—Ventajas de ser guía. No os despistéis esta noche, que mañana me dan permiso y quiero seguir entero para disfrutarlo.

Caminito sale hacia la oscuridad.

—Tenemos que plantarnos en la ametralladora —dice Reyes—. No tengas miedo, que esta noche ya no atacan.

—¿Es verdad que están arrastrándose por ahí?

—No buscan pelea. Probablemente sean falangistas quinceañeros que quieren demostrar cojones. No le he preguntado a Caminito. ¿Tú les has visto?

Cecilia niega, no ha visto nada, tan sólo un machete sucio. Y vuelve a temblar, de arriba abajo. De camino hacia la ametralladora las piernas se le doblan y da un traspiés.

—Ya te acostumbrarás.

Reyes le habla y le hablará toda la noche como si no fuera ella, como si fuera un miliciano cualquiera, como si todos los combatientes temblaran y se cagaran. Y no es que lo pase por alto, porque le cuenta que en su primer día tuvo que echarse al coleto un cuartillo de aguardiente que le pasó Caminito. El aguardiente le quitó al miedo la responsabilidad de los retortijones. Entonces ríe por primera vez. Tiene los dientes blancos y la sonrisa de niño. Y los ojos muy claros. Y de la boina con la insignia de la CNT se le escapan mechones color habano. Y no para de hablar. Cecilia sabe que ríe para que ella se olvide de que entre la jara ronda el enemigo. A veces lo logra. Es capaz de hablar en susurros pero nítido y sin quitarle ojo al monte. Según avanzan las horas a Cecilia le duele cada vez más que le hable como si no fuera una mujer. Le gusta que no tenga remilgos, pero también le gustaría ver en él una chispa de deseo.

Por eso termina sonriendo cuando, después de responder con un peine entero a una ráfaga suelta del otro lado, Reyes la abraza porque a Cecilia sin darse cuenta se le han escapado las lágrimas.

—Tranquila, que es un borracho.

Sólo romperán ese abrazo cuando, al insinuarse el alba, escuchen que Roberto el Caminito viene rodeando la peña. Les trae una bota de vino, unas tiras de cecina y un par de chuscos.

21

«Ya no nos separamos más hasta Alicante», había escrito Cecilia a un costado, casi encima de las notas que me han servido para componer los últimos párrafos; en una tinta más oscura, con certeza más reciente. Pero se separaron, pensé con mezquindad; después de Alicante, pero se separaron. ¿Cuándo? ¿O quizá no? ¿Escondía a Reyes en su piso o en otro, en Embajadores por ejemplo? Si Cecilia era mi Cecilia, puede que ahora no tuviera hombre o puede que fuera la nodriza de un topo. ¡Qué diferente hubiera sido el cuchitiril en que me escondí si alguien como Cecilia se hubiera encargado de los orinales! O no.

Me acordé de las ampliaciones que la Cecilia de las lilas chicas había recogido de casa de Quintín. El hombre a quien le habían pintado una corbata sobre la camisa de miliciano tenía los ojos claros y, aunque en la foto de pasaporte que yo había visto no sonreía, noté una punzada de dolor cuando le imaginé haciéndolo: sí, cabría suponerle sonrisa de niño.

Las dos Cecilias podrían ser la misma Cecilia. Me animé un poco pensando que si así era teníamos cierto grado de afinidad: yo describía sus ojos ayudándome del color de las aceitunas de Jaén; ella para el cabello de su amor se apoyaba en los habanos; a los dos nos gustaban los colores que se aprecian con la boca.

Había visto de una ojeada que hacia el final de la libreta las anotaciones eran mucho menos densas, tal vez porque Cecilia todavía no había tenido tiempo de volver a ellas y anotar encima, al lado o sobre. Rompiendo una promesa que respetaba desde estudiante, salté a las últimas páginas para saber cómo terminaba aquello. Reyes sí, Reyes no. ¿Figuraba el cretino que la había visto salir de un piso allanado en Embajadores la última noche del año? En la última página escrita, las anotaciones eran muy escuetas, tanto que no vale la pena ni redactarlas.

«Me están siguiendo.» Y un poco más abajo: «La gente del barrio empieza a conocerme». Y con caligrafía temblorosa: «Tengo que ir a todas partes con la libreta por si registran la casa en mi ausencia. Estoy buscando otro sitio donde vivir, pero todos están quemados». Nada más.

Siguiendo hacia atrás… No quise seguir desandando la libreta. Aunque sí miré de reojo para ver si captaba alguna referencia a Reyes. No.

Quizá hubiera vuelto a romper mi promesa, pero entonces se me ocurrió la idea, se me encendió la lucecita. Era periodista; podía ir a la Dirección General de Seguridad e interesarme por el suceso de diciembre de la calle Embajadores. Allí podrían darme noticia de si habían implicado a una mujer y, en su caso, quién era. No oficialmente, claro. Por vías alternativas. Como siempre.

22

Ni siquiera era en la misma Dirección General de Seguridad donde tenía mis contactos, era al lado. En la calle del Correo, en una taberna con mostrador de madera lamida y azulejos estampados en las paredes, tenía su mesa perenne un marroquí de los que habían cruzado el Estrecho con Franco en los primeros aviones italianos. Un moro. Menudo, cóncavo, con una constitución de escalera, lleno de ángulos, el producto final de una larga cadena de genes hambrientos. Le llamaban Al Gandul, aunque supongo que su verdadero nombre debía de ser sólo similar o, quizá, es que yo jamás lo había visto escrito; algunos decían que se trataba de un mote y que se lo habían puesto en la batalla del Ebro, porque el moro aprovechaba los intervalos entre acometidas, las paces cortas que otros utilizaban para enterrar muertos o despiojarse, para vender a los soldados de reemplazo baratijas de tierras lejanas y luego cada vez en mayor medida procedentes del saqueo; si era un mote provenía, como tantos otros, de la contradicción: Al Gandul demostró muy claramente su iniciativa, su amor al trabajo y su ansia de progreso. Como fuere, Al

Gandul era una leyenda viva porque junto a su espíritu empresarial poseía un valor que asustaba a sus propios coterráneos y, más aún claro, a los enemigos; saltaba de la posición en primer lugar, gritaba como un energúmeno para acojonar y arrojaba granadas de mano a pares con arte de prestidigitador. Como tipo listo que era había preferido quedarse en la península, en Madrid en concreto, a volver con su tábor a Melilla o a donde coño les llevaran después con la guerra de Europa al alza. Al Gandul regentaba ahora un próspero negocio de información y degüello justo a la sombra del monumento a la información y al degüello, una especie de compañía subsidiaria de la Brigada Político Social. Los hombres y las mujeres, nacionales y extranjeros, que Al Gandul tenía repartidos por los bajos fondos de toda España le proveían de un material de delación que los policías calificaban como precioso. En aquella mesa de madera erosionada por litros de vino, cerveza y agua de fregar subastaba su mercancía. Los sociales eran los principales clientes del moro, aunque de tarde en tarde también acudían a su humilde oficina banqueros, empresarios y hasta estrellas de la canción española en busca de desfalcadores, socios traidores o amantes aficionados a la rapiña. Después de cobrar la información, Al Gandul ofrecía sus otros servicios para rematar la faena. La policía toleraba el sangriento trueque a cambio de algún esfuerzo suplementario de las huestes de Al Gandul o de una rebaja en el precio de los soplos.

Al Gandul me debía un favor que, aunque no voy a explicar, tenía que ver con su asimétrica y desmedida afición a las gordas. Como tenía mucha imaginación el moro, me ofreció su sonrisa torcida al verme entrar a la taberna: mi ser para él sólo era un signo de futuros y gozosos nublamientos cárnicos.

—Salam aleikum.

—Aleikum salam. ¿Hay gordita?

Hablaba Al Gandul un castellano perfecto, pero cuando se le cruzaba la pasión prefería expresarse como un niño caprichoso.

—No, no es eso —dije en una apuesta por la sinceridad.

—Ando muy ocupao —dijo. Y escondió la cabeza tras el *Marca*.

—Me debes una y bien grande, Al Gandul.

Al contrario que su vida sexual, su venturoso negocio se basaba en este tipo de deudas etéreas.

—¿Qué coño quieres?

—Información.

—¿Sólo palabras?

—Sólo. Pero hay algo más. No quiero que la policía se entere de que ando preguntando.

Al Gandul achicó sus ojillos para escrutarme.

—¿Cuánto pesa?

—¡Que no, joder, Al Gandul, que no es eso!

—Es una mujer, lo estoy viendo.

—No te gustaría. Cincuenta kilos como mucho y tiene pinta de regañona.

Al Gandul escupió por el colmillo para demostrar lo que opinaba sobre la mierda de gusto de un periodista pobre. Y por fin:

—Pregunta.

—La última noche del año. En Embajadores. La policía mató al menos a un hombre. Fue un despliegue…

—La Favorita —me interrumpió—. ¡Mira que eres tonto, macho!

—¿Por qué?

—Porque esa mujer está muerta o casi.

—Digo que por qué le llamáis la Favorita.

—Porque desde el principio de la guerra siempre ha ido con un tal Reyes. —Y rompió a reír como sólo un hombre satisfecho de sí mismo puede hacerlo.

Aunque se carcajeaba con los ojos cerrados, de vez en cuando abría uno un poco para comprobar que yo permanecía serio. La Cecilia de la libreta era la Cecilia de las lilas chicas. Me dieron arcadas, las bascas del miedo. El moro dejó de reír de repente.

—A los españoles no les hace gracia. A nosotros sí. Nuestros reyes siempre tienen esposas y favoritas. De ahí el chiste. Pero la mayoría de los españoles me lo pagan con una sonrisa de cortesía. Con esa mujer vas demasiado en serio, plumilla.

—¿Por qué la van a matar?

—Porque es ella la que no ha dejado de matar desde que empezó la guerra. Dicen que hasta intentó apiolarse a Franco, antes de la victoria, claro.

—¿Y ahora?

—Sigue.

—¿Con quién?

—Con los comunistas, supongo.

—¿La tienen localizada?

—No —dijo Al Gandul, aunque tardó en responder.

—¿Te lo han encargado a ti?

—Lo quieren hacer ellos mismos —respondió mientras negaba con la cabeza y un gesto que podía ser de dolor, de frustración era.

Hizo una pausa y continuó:

—Y me alegro. Terminaría por arruinar mi negocio. Yo di el soplo de lo de Embajadores. Pero esa mujer es el demonio.

Una vez más dejó de hablar para mirarme con sus ojos negros y astutos de las mil y una noches, ojos cargados de respuestas.

—¿Hay gordita?

Tengo que explicarlo aunque no quería ni es momento. A Al Gandul no le gustan las putas, ni siquiera las putas gordas. Desea mujeres vírgenes y de buena familia a poder ser, como si lo que le gustara de verdad fuera joder a los colonialistas que se las daban de puros. Yo le hacía de ojeador a veces, de celestino; contactaba y alababa sus encantos que, por otra parte, poseía a juzgar por sus éxitos.

—Tengo vista una en el barrio de Salamanca.

—¿Mucama?

—Señorita.

—Tómate un vino.

Había trato. Al Gandul me sirvió de su propia jarra en su propio vaso. Bebí. Él carraspeó y echó su silla hacia atrás, como si fuera a charlar con un amigo de asuntos intrascendentes. Que Al Gandul tomara tantas precauciones era un aviso. No estaba fingiendo ni trataba de incrementar con engaño el precio de su mercancía. La Favorita, tratar de ella, le daba miedo.

—Nadie sabe cómo es. —Y volvió a reír en su afán simulador—. Excepto tú, deduzco.

Esperó hasta que vio que yo iba a comenzar a mentir:

—Déjalo, déjalo, no importa, no quiero saberlo. Te vendería si fueras caro.

—Gracias.

—Ni una foto, ni algún detenido que la haya descrito, nada. Lo que se sabe es por el vuelo de su falda. Desaparece. La Social cree que lleva una vida normal, clase media o incluso alta, y que gasta un montón de tiempo entrenando enlaces.

—¿No han trincao a ninguno?

—Nunca. A enlaces de enlaces que no la conocían sí. Por eso se sabe de su existencia. Pero se cree que lleva en su cabeza toda la guerrilla, los bandidos, vamos, de Madrid. Al menos de Madrid y provincia.

—¿Con el tal Reyes?

Renozco que fue mezquino preguntarle eso en ese momento y más aún que me aliviara verle negar con la cabeza.

—El tal Reyes desapareció en Alicante en abril del treinta y nueve, cuando entraron los italianos. A nosotros no nos dejaron: había un huevo de mujeres amontonadas en el puerto. —Se le convulsionó el pecho por no reír abierto.

—Y de niños. —Reconozco que dije por joder.

Me miró frío, muy frío, como si fuera a venderme allí mismo.

—No vuelvas a decir eso, plumilla.

—Perdona.

—Puede que su Reyes esté muerto y enterrado, puede que no. Quizá está en Francia, quizá en el monte. Con ella no. He tenido a mi gente muy cerca, a la distancia de uno o dos enlaces, y me aseguran que siempre se mueve sola. No se fía ni de Alá.

—Ella sí es cara.

—Carísima.

—¿Por qué te desentiendes entonces del caso?

—Ya te lo he dicho, joder —dijo después de pensárselo—. Si la pillas ganas mucho, bien, pero si fallas te cuelgan el sambenito de inútil. Ésa es para aventureros. Mi negocio es más serio, pequeñito pero serio.

—Hay algo más.

—No.

—¿Quiénes son los aventureros?

—No te lo voy a decir. Aunque tiene gracia. La busca alguien que estaba con ella en el otro bando.

Al Gandul miró a izquierda y derecha y atrás, hacia el mostrador. El tabernero, de aire en exceso inocente, desmigaba un bacalao seco. El moro bajó la voz aún más.

—Si sigues tras ella, cuidadito. El que la quiere para él, y no te voy a decir más, tiene más peligro que un escorpión en una babucha; y buenos oídos. No sabe cómo es ahora pero sí cómo era. ¿Cuándo me enseñas a mi queridita?

—En cuanto tenga un hueco.

—Plumilla, que estás vendido —me dijo casi con pena.

—¿El domingo?

—El domingo.

Salí de la taberna con el corazón, el estómago y el pito

más que encogidos. No sabía que ninguno de ellos había alcanzado aún el mínimo.

Lo alcanzaron cuando al entrar en el portal de mi pensión vi que se aproximaba el mismo Packard blanco que estaba aparcado una hora antes frente a la taberna de la calle del Correo.

23

Combaten Cecilia y Reyes en el Jarama pero no hasta el final. Llevan sólo una semana de batalla cuando les llama Modesto. Quiere que, junto a otros escogidos, asistan a unos cursos de guerrilla en Madrid. Reyes duda. No por la tarea y la ronda a la muerte que implica, sino por la ideología de quien se la encomienda. Todo el mundo sabe que Modesto es un adversario feroz de los anarquistas. Sin embargo, el líder miliciano les explica con voz sorprendentemente dulce que en el grupo que va a formar hay de todo porque a la hora de elegir no se ha fijado en la bandera de cada uno sino en la eficacia demostrada en combate, que hay que defender la libertad sin banderías, las conquistas de la clase obrera, las tierras de los campesinos, los derechos de las mujeres, en definitiva, todo lo que la República garantiza y eso sólo se podrá conseguir con un ejército organizado donde cada cual aporte lo que mejor sabe hacer; se trata de formar exploradores, como él les llama, hombres y mujeres que trabajen más allá de las líneas propias para ser los ojos y los oídos del Ejército Republicano en el campo enemigo; todos a los que Modesto ha reunido, la mayoría campesinos, se han mostrado duros, valientes y eficaces en el combate irregular. Cecilia y Reyes, en la sierra, de los que más, aunque ella sigue demostrando escaso coraje con arma blanca y quiere poner remedio a ese defecto. La arenga de Modesto y la mirada casi de súplica de Cecilia consiguen que finalmente Reyes acepte.

Por eso, porque ya son exploradores, esta noche, la del 23 de julio del 38, han vuelto a cruzar el Ebro a nado y se arrastran por terreno enemigo. La última semana han pasado cada noche. El Ejército Republicano ha reunido en la orilla izquierda del río a la flor y nata de sus efectivos para realizar una ofensiva que detenga a los fascistas en su camino hacia Valencia y para obtener una victoria que alce la moral en la retaguardia, bastante baja desde que Franco ha llegado al Mediterráneo y ha partido en dos el territorio de la República. Entre las tropas sucede al contrario, la moral es alta, muy alta. Entre los exploradores de Modesto más. Por si son capturados, no saben cuándo se dará la voz de pasar el Ebro, pero la imaginan inminente. Precisamente los exploradores nadan cien metros de ida y cien de vuelta cada noche, con impedimenta, aunque ligera, y luchando contra la corriente, para dar cuenta a su regreso de las posiciones y movimientos de las tropas del enemigo y, sobre todo, para obtener datos que les proporcionen a Modesto y al general Rojo ciencia exacta de si Yagüe sabe ya que se va a intentar pasar a la orilla derecha. Hasta hoy, aunque el enemigo ha doblado y fortificado los puestos de vigilancia de la ribera, ningún dato hace presumir que se mantenga especialmente alerta o, al menos, que tema a la presunta ofensiva.

Parece mentira, y a la propia Cecilia le da vergüenza reconocerlo, pero Reyes y ella son felices. A Cecilia hasta le gusta nadar en el río en esas noches de julio. Desde que recuerda, su padre la llevaba todos los años en verano a Cudilleros para que le perdiera el miedo al agua y aprendiera a nadar; como si el minero hubiera sabido que algún día necesitaría de esa habilidad. Le gustan a la exploradora sobre todo los regresos, es como si volviera a casa: se echa al agua, nada despacio, sin ruido, deja de escuchar los grillos de la orilla enemiga, se queda sola con sus fuerzas y el rumor del agua y vuelve a sentirse a salvo cuando comienza a oír los grillos de la ribera propia. En casa, aunque hasta llegar a su chabolo todo sean ruidos de fusiles que se montan a su paso y preguntas por el santo y seña. También ha gozado mucho Cecilia ayudando a Reyes a superar su miedo a las ratas de agua.

Cecilia cree que Reyes es tan feliz como ella. Es feliz porque cree que si pasan el Ebro y ponen al enemigo en retirada, la República se salvará. Muchos de los combatientes tienen ese mismo pensamiento y a Reyes se le nota en el ánimo. Ríe, bromea con ella y con los compañeros durante las horas diurnas de descanso. Y cuando comienza a caer la noche, ya apostados en espera del mejor momento para echarse al río, se tensa como la cadena de una bicicleta en la primera pedalada pero nunca se le olvida darle a Cecilia un beso y decirle un «te quiero». Después, al otro lado, no podrán hablar, sólo el silencio será su parapeto.

Noches enteras en silencio, días enteros en ocasiones, aplastados en una hondonada, detrás de unos arbustos, reptando hasta la siguiente hondonada o el siguiente arbusto, tan cerca del enemigo que a veces escuchan retazos de conversaciones, la mayoría sobre tabaco o, mejor dicho, sobre papel.

—¿Tienes un papelillo?

—Qué más quisiera yo.

—¿Un periódico, una carta?

—Anoche me fumé la última de mi madre.

—Puta guerra.

Entre los republicanos es al revés, lo que falta es el tabaco. Franco domina las zonas tabaqueras; la República las fábricas de papel. Dicen que en otros frentes no mediados por un río, se ha llegado a cambiar papel por tabaco entre las tropas de uno y otro bando.

Aunque es consciente de que si les capturan serán sometidos a interrogatorio y a tortura y, con suerte, fusilados, Cecilia no puede dejar de gozar al sentir cómo se le pone la piel de gallina cuando se queda a solas con Reyes en un hoyo. Le gusta mirarle en silencio, observar su gesto atento, su mirada brillante buscando el próximo paso a dar, el próximo hoyo, más allá, mejor cuanto más cerca del enemigo, y la sonrisa grande que se le dibuja al encontrar el lugar idóneo desde el que dar el próximo salto. Piensa Cecilia que a muy pocos amantes les es dado el estar así, tan solos, tan dependientes el uno del otro. Estar juntos, estar atentos, ayudarse a la más mínima petición de ayuda, a la más pequeña seña, adelantándose si es posible a satisfacer la necesidad del otro, en silencio, sin agradecimientos ni reproches, de eso depende la vida de ambos; y mañana otra vez; y al otro. Eso es amor, así tiene que ser el amor, incluso en paz, piensa Cecilia y algo en su barriga le pide abrazar a Reyes. Pero en lugar de hacerlo, al ver que él baja a tomar nota en un cuaderno de la posición de un parapeto fascista, Cecilia sube y saca la cabeza por el borde del terraplén para no quedar ni un segundo sin vigilancia. Entonces les ve. Como si ella entera fuera un músculo de él, Reyes comprende que algo pasa ahí arriba; de un salto se coloca al lado de Cecilia. Ya tiene la sonrisa que cree que a ella le quita el miedo.

Son dos legionarios que se dirigen hacia el Ebro, tal vez dos exploradores, como ellos, que van a cruzarlo. Cuando ve que Reyes desenvaina su machete, Cecilia desenfunda su star para cubrirle; la monta muy despacito sin hacer ruido. Los legionarios van a tener que cruzar el pequeño barranco que les cobija; sin una seña siquiera Cecilia y Reyes se arrastran hacia la parte más ancha de la hondonada, la que los enemigos evitarán porque no podrían cruzarla de un salto. El silencio y el aire contenido en los pulmones hacen que los oídos de Cecilia zumben. A Reyes los ojos le brillan tanto que puede que se vean en la distancia como los de los gatos. Los lejías caminan atentos pero, como todavía están en su lado, no toman excesivas precauciones; Cecilia y Reyes, aplastados en el fondo del barranco, escuchan los pasos y algún terrón reventado por sus botas. Los legionarios se han desviado unos metros para saltar donde la grieta es más estrecha. Reyes hace una seña: les van a dejar pasar. Ven cómo dan el salto y escuchan la corta risa de uno de ellos, que casi se cae.

—Nos quitamos las botas en la orilla —susurra el lejía.

Cecilia y Reyes se miran y ambos comprenden. Dejan alejarse al enemigo; salen después del barranco; reptan ayudándose con los codos, enseguida sangrantes, porque llevan las armas en las manos. Los legionarios se han sentado para descalzarse; uno de ellos se quita las botas empuñando la pistola. Los tienen a cuatro metros, recortados contra el brillo de anguila del río. Reyes le hace una seña a Cecilia, el de la pistola es suyo. Y salta. Salta también Cecilia. Mientras Reyes degüella a uno, Cecilia le pone la pistola en la nuca al de al lado, un veterano listo que no emite ni un suspiro. Le tienen. Escuchan una exclamación en marroquí no muy lejana; a unos doscientos metros tienen un parapeto enemigo. Cecilia aprieta el cañón de su pistola contra el cráneo del legionario porque le ha visto en los ojos el instinto de gritar. El hombre mueve la cabeza en lo que quiere ser una garantía de que no hará ruido; sabe que moriría al instante y que sus captores, aún bajo los disparos, se escurrirían entre los juncos y luego al río como ratas de agua. El legionario deja de temblar cuando Reyes le ata las manos; ahora está seguro de que aquélla no es su última noche. Reyes nada hacia el otro lado con un brazo alrededor del cuello del legionario; Cecilia también cruza ayudándose con un solo brazo: quiere mantener la pistola a la vista del cautivo.

Al prisionero le interrogan durante el día; la noche siguiente las fuerzas de choque republicanas pasan el Ebro. Cecilia y Reyes descansan. Están tan agotados que no han podido ni hacer el amor, aunque los compañeros se han ido a dormir al raso y han dejado la choza para ellos solos, tan agotados que ni el estruendo del combate les ha impedido conciliar el sueño. La choza está a unos tres kilómetros de donde cae el grueso de los proyectiles, pero las chicharras y los pájaros han callado, y se escucha como si estuviera más cerca; hasta alaridos de ataque y gritos de heridos, y rebuznos, llegan de vez en cuando.

Lo que les despierta es el polvo. Hace que los ojos lloren y que la garganta escueza. Si hubieran estado fuera podrían haber visto llegar la nube; comenzó a crecer a ambos lados del río, en el punto en que el combate es más intenso y avanzó en todas direcciones lentamente pero tan densa como si fuera un muro, ocultando en su seno muertos, heridos y futuros, caballerías, camiones, tanques, al mundo. El agua es hoy y para todos un bien más preciado que la libertad. O el orden.

Salen a buscar agua y les dan las noticias.

—Estamos ya en la orilla derecha. En algunos sectores los franquistas han corrido como conejos.

—Nos quedamos allí. Ya no nos echan.

—Han pasado en barquitas, por pasaderas. Todavía no hay un puente puente, pero están en ello. Sólo nos faltan los aviones.

—Pero ya llegan.

Cecilia al principio cree que es una broma, pero no dice nada al ver la expresión de niño con zapatos nuevos de Reyes.

—¡Lo sabía! ¡Sabía que ésta era la nuestra! —grita Reyes. Y baila.

Y abraza a Cecilia. La coge después por la cintura, la alza y la deja caer lentamente, bien pegaditos los cuerpos.

Se besan delante de todos. A Cecilia le sigue dando vergüenza, pero los compañeros les silban y aplauden, tan contentos, que se olvida de su sonrojo porque empieza a creer que es verdad, que han pasado el Ebro, que la República se salva, que todo el miedo y el hambre y la sed y la sangre y el cansancio, que los pies en carne viva y el empaparse la menstruación con periódicos ha valido la pena, que van a seguir viviendo. Aun así, la certeza de la victoria inicial se la da un camarada:

—Os toca pasar esta noche. Pasamos todos.

—¡Nos ha jodío que vamos a pasar! ¡Y para no volver! —fanfarronea Reyes entre vítores.

Le conoce, ha sufrido de todo con él y nunca le había visto tan entusiasmado, tan infantil, con tanta esperanza. Tampoco a los demás hombres. Ni siquiera cuando el frente de Madrid se estabilizó. Aquello era a la defensiva; ahora están atacando; ahora el final de la guerra y el mundo nuevo, sin miseria y sin miedo, puede estar en sus manos.

—Nosotros bajamos a por agua —dice Reyes con gesto y dejo tabernarios—. Esta ronda va de nuestra cuenta.

Todos ríen. Reyes coge a Cecilia de la mano y se dirigen hacia donde están los camiones cisterna. Pero a medio camino Cecilia tira de él y se meten entre los troncos de un grupo de higueras. Es la primera vez que ella lo propone; tiene urgencia de sentirle dentro. Es como cuando se trata con un niño; si le ves feliz, quieres verle más feliz y tocarle y hasta comértelo para notar esa felicidad como una sensación física, dérmica, epidérmica, visceral. Ni siquiera se enfada Cecilia cuando ella se empeña en desnudarse del todo y Reyes protesta porque hay que acarrear el agua para los compañeros. El olor profundo y dulce de las higueras en julio.

Después, hasta el 1 o el 2 de agosto, las tropas republicanas no dejan de avanzar. Hasta Gandesa. Los muertos se cuentan por cientos, por miles en ambos bandos. El calor y la sed desesperan. Y el olor a muerto. Los cadáveres están por todas partes. Allí donde han caído. No hay tiempo para enterrarlos. Y sobre ellos siguen golpeando las balas y la metralla. Ni siquiera los legionarios, que tienen como sagrado no dejar atrás a ninguno de los suyos, ni muerto, pueden cumplir su promesa. Cadáveres verdosos, después negruzcos, hinchados luego y al final reventando desde dentro. Y en todos ellos los asquerosos gusanos.

No hay descanso. Aun cuando a Cecilia y a Reyes les dan unas horas para salir del frente o de más allá del frente y que puedan dormir un rato sobre techado, no hay descanso: los aviones enemigos, italianos y alemanes, les ametrallan por el camino. Muy peligrosos no son, porque si tienes la sangre fría de no correr, si te aplastas contra el suelo hasta llenarte de tierra los labios, es difícil que te acierten, pero te comen los nervios. Y te levantas temblando. Pero por lo menos ellos se levantan cuando termina el ataque; en el frente, algunos hombres, los que tienen al enemigo más cerca, pueden pasarse hasta catorce horas, todas las de sol, tumbados, agazapados en los huecos que ellos mismos han abierto con las manos, las balas de los fascistas zumbando sobre ellos, sin poder alzar ni la cantimplora cuando la tienen, contando cuentos para matar el rato. Y por la noche a alzarse. A atacar con granadas de mano y bayonetas, a cruzar tus piojos con los del enemigo. Pero la República sigue avanzando. Nadie sabe cómo, sólo con la esperanza se aguanta tanto.

En el chabolo, al que le falta el techo desde el último bombardeo, les entregan dos latas de sardinas y un cucurucho de pipas de girasol; llevan más de cinco días sin comer caliente. Después llegará la sed. Cecilia no se decide a comer. Reyes, aunque las ojeras le llegan a la barbilla, todavía es capaz de hacer bromas.

—No me digas que no tienes hambre.

—Le tengo miedo a la sed —dice Cecilia.

—Come, come sin pensar en el más allá.

Un compañero que entra le da a Reyes un ejemplar de *Avance*, el periódico del cuerpo de ejército, el V, de Líster y Santiago Álvarez.

—Dice el *Avance* que en cuanto lleguen nuestros aviones mandamos a esa gente a tomar por culo —resume el soldado.

—¿Dónde están los aviones? —se interesa Cecilia.

—Eso es lo que se preguntan todos los que todavía no han palmado —ríe el soldado.

—Vendrán —dice Reyes con convencimiento—. Lo que hace falta es que el Ejército de Levante o el del Centro ataquen y tengan que llevarse de aquí a unas cuantas divisiones.

—Son muchos, Reyes, muchísimos, y sus aviones ya están aquí.

El soldado se marcha. Reyes le echa una ojeada al *Avance* y luego se lo pasa a Cecilia abierto por una página. Cecilia ve unos versos que firma Miguel Hernández. Publica muchos en los periódicos dirigidos a los combatientes. Cecilia lee el de hoy y se da cuenta de que Reyes la observa. Entiende esa mirada al llegar a un verso:

Para el hijo será la paz que estoy forjando.
Y al fin en un océano de irremediables huesos
tu corazón y el mío naufragarán, quedando
una mujer y un hombre gastados por los besos.

Cecilia no tiene más remedio que confesarse que la situación le parece cursi. Se escuchan estampidos, tableteos de ametralladora, se oyen silbar los obuses que pasan de largo, se huelen los muertos, se mastica el polvo, la sed abrasa, se espera con tics a que corra el tiempo para volver de nuevo al territorio de la muerte y... se pasan poemas como si fueran papelitos con corazones pintados en una clase de bachillerato.

Luego se lo piensa otra vez. Y los ojos se le llenan de lágrimas. Reyes la abraza y con la otra mano le quita el periódico y lo guarda en la mochila. Si se pliegan bien para que no hagan ruido, los periódicos, como ya ha quedado dicho, son muy útiles en las descubiertas. Lo crean o no, en las noches sin tiros, algunos soldados son capaces de oler la sangre.

Abrazada, mientras Reyes cierra los ojos para dormitar un rato, Cecilia hace memoria y no consigue recordar si en algún momento ha pensado en tener un hijo. De civil supone que hubiera sido uno de los primeros pensamientos después de convertirse en la mujer de Reyes, y antes, pero no lo recuerda. ¿Le gustaría? Prefiere esperar a que termine la guerra para responder. Ahora no quiere ni imaginar una separación de su hombre y a Reyes no le darían licencia por maternidad. Él si lo ha pensado, se dice recordando el poema, aunque quizá sólo lo quiera para alejarla a ella del infierno.

Llega después la estabilización del frente. Los exploradores tienen esos días más trabajo que nunca, pero pueden organizar turnos y conseguir de vez en cuando una jornada entera para descansar. Las conversaciones en esas horas dan vueltas a lo mismo casi siempre: cómo caen las rompedoras, como mierdas de paloma en los ojos del santo Job, y por qué Yagüe, o quien coño mande al otro lado, no contraataca. Es tan sorprendente que da miedo por si se trata de una táctica bien pensada: la internacional fascista tiene una superioridad en infantería del diez por uno, en artillería menos pero mucha, en aviación su dominio de los cielos es total. Y no contraatacan.

—Porque tienen a los obispos y al papa y ésos pesan —bromea uno.

—Sin guasa, ¿por qué no intentan freírnos?

Reyes está más apagado que durante la ofensiva y dice con voz cascada:

—Franco no quiere una victoria rápida, quiere una guerra de exterminio, quiere que no quedemos ni uno vivo para quitarse problemas en las calles si termina ganando la guerra.

Se hace el silencio. Cecilia cree que es porque a todos se les había olvidado que volverá a haber calles en las que luchar cuando termine la guerra. Aunque pronto las bromas vuelven: los que luchan en vanguardia todavía creen en la victoria. Dudar sería un suicidio.

El 6 de agosto comienzan las contraofensivas fascistas. Una tras otra hasta siete tendrán que llegar. Siempre igual: bombardeo furioso de horas, artillería y aviación, y asaltos de la infantería después. Por la noche, los republicanos retoman las posiciones perdidas durante el día. La consigna que Modesto ha lanzado es ésa: posición perdida, posición retomada; así también pueden ganarse las guerras. Reyes intenta creérselo y se obligan a pasar más y más tiempo en terreno enemigo, tratando de acumular datos que permitan prever por dónde será el próximo ataque. Hay días que, si no tienen nada de qué informar, no vuelven a sus líneas; se agazapan silenciosos y se cubren con las mantas sucias de tierra. Hace mucho calor en la Terra Alta en agosto y la sed a lo largo del día les deja la cara afilada y los ojos hundidos; por la noche, cuando salen de debajo de su camuflaje parecen muertos a los que la luna llama.

Fue al caer la noche de uno de esos días sobre su oscura guarida de zombis cuando escuchan un gemido mientras se arrastran. Están en tierra de nadie y, de vez en cuando, vuelan proyectiles sobre sus cabezas. Alguien gime. Podía ser un ardid del enemigo, podía ser un ardid de los compañeros y podía ser que de verdad alguien se estuviera muriendo cerca y desatendido. En ese sector la infantería no combate desde hace más de veinticuatro horas. Si es de verdad un herido, ése es el tiempo que lleva desangrándose o, por lo menos, sollozando por el dolor. Sea lo que sea, resulta muy peligroso abandonar la invisibilidad; se detienen a discutirlo sin palabras. Reyes prefiere dar un rodeo y evitarlo; Cecilia se opone: quiere por lo menos echar un vistazo. Finalmente consigue convencer a Reyes con el argumento de que si es un enemigo les proporcionará información. Antes de que Reyes comience a arrastrarse como era su intención, Cecilia, que está más cerca de los gemidos, gatea hasta el hoyo de una bomba y se asoma. En el fondo está el herido, tan tinto en sangre que no sabrán que es un requeté hasta que bajen. Del Tercio de Requetés de Nuestra Señora de Montserrat, escribe en un papel porque ellos le han dicho que no hable o se lo cargan.

Tiene el de Montserrat un agujero en un costado y las dos piernas con fracturas abiertas. Parece imposible que siga viviendo pero las hemorragias, quizá porque el polvo caído sobre sus heridas forma costra, han cesado. Ya no quiere decir más, no va a decir más aunque le maten, escribe cuando Reyes, por el mismo medio, le pregunta por las posiciones de las compañías de ametralladoras. Cecilia mira a Reyes y éste se encoge de hombros. No le van a matar. Cecilia, aunque temblando se dispone a amordazarle. El requeté sonríe; debe de estar delirando. Y habla:

—Franco está en el Coll del Moro. Por si queréis ir a buscarle. A mí hasta me gustaría; mandó al suicidio a mi tercio en Quatre Camins. Que os den por culo.

Ha susurrado porque o no tiene fuerzas para más o quería terminar su discurso antes de que Reyes le rajase. Pero ahora Reyes no quiere rajarle, quiere llevarle al puesto de mando republicano. El requeté forcejea; no quiere que le muevan; se muere negando.

Vuelven de inmediato a sus líneas. La noticia, de ser cierta, es importante. Les llevan ante Modesto.

—¿Creéis que hablaba en serio?

Cecilia está convencida; Reyes más que convencido: quiere ir a comprobarlo.

—Mandaremos algunos bombarderos —dice Modesto.

—¿Y quitarlos del frente? Ni hablar, con perdón mi coronel —insiste Reyes—. Iré yo solo, con uniforme de regular, que tengo uno visible.

Cecilia va a decir que le acompaña, pero se da cuenta de que en el ejército fascista no hay mujeres en primera línea. Anticipa desde ya la eterna espera. El Coll del Moro está justo detrás de Gandesa, entre las sierras de Pàndols de un lado y las de Cavalls y Lavall del otro. Reyes tarda dos días y medio en ir y volver. Es la primera vez que Cecilia y él se separan desde que se conocieron. Cuando vuelve parece un loco.

Quiere ir al Coll, quiere convencer a Modesto, al general Rojo, a Negrín, a quien haga falta de que puede acabar con Franco si le dan seis hombres bragados.

—Mandaremos los aviones —vuelve a decir Modesto.

—No está todos los días. Va y viene. Si dedicamos a eso los aviones, aquí perdemos la guerra. ¡Déjeme, mi coronel!

Modesto, tras una mirada larga a Cecilia, asiente.

—Coge a quien necesites.

Al escuchar la orden, Cecilia sin saludar y sin pedir permiso para retirarse sale del parapeto. Reyes tarda media hora en encontrarla llorando junto a la orilla del Ebro.

—Quiero hacerlo —dice Reyes.

—¿Y yo qué?

—Tú a disfrutar la victoria.

—Serás hijoputa.

Cecilia quiere matarle, quiere abofetearle, quiere maniatarle para que se quede allí quieto, junto a ella. Piensa después en todos los que han muerto por mucho menor botín y se calma. Reyes le rasga la camisa para besarle los pechos. Chupa como un bebé. Todavía más niño. Feliz, potente, orgulloso porque le van a poner una buena nota. Porque se va a cargar al Caudillo y va a morir por ello. Una placa en la plaza de los héroes de la República. Un sobresaliente. Chupa como un bebé, para que la mujer se sienta hembra, como si quisiera agradecerle a su madre el haberle traído al mundo para hacer historia. Le hace el amor muy duro, seguro de su potencia. Cuando terminan se echa a un lado y enciende un mataquintos.

—Le voy a dar p'al pelo a ese maricón de mierda —dice mirando a las estrellas.

—Mi madre dice que siempre ha sabido cuándo se quedaba embarazada justo en este momento.

Reyes se incorpora rápido y se apoya en el codo para mirarla con ternura.

—¿Y?

—Yo no noto nada.

—Te quedarás, ya lo verás. Te llevarán a Barcelona o a Valencia. Y a Madrid cuando ganemos. El chaval sabrá lo que hizo su padre.

—Puede ser chica.

—Igual.

—¿Cuándo te vas?

—Mañana si encuentro al Cazurro y su gente.

Y se queda dormido soñando, piensa Cecilia para hacerse daño, con el orgullo que no podrá sentir cuando su hijo o su hija vuelvan a casa riendo porque el maestro ha pretendido enseñarles quién había sido Reyes Camacho.

Pero Reyes no saldrá mañana a matar a Franco y a encontrarse con la historia porque ese día, el 30 de octubre, el Generalísimo, desde el Coll del Moro, ha dado la orden de la séptima contraofensiva. El más potente ataque artillero de preparación que se ha conocido hasta la fecha comienza a las seis de la mañana. Dura tres horas. Los bombarderos alemanes sueltan bombas de hasta quinientos kilos. La infantería fascista ataca de frente, con el desprecio de sus vidas, por parte de los generales, claro. El campo de batalla está ralo, no queda vegetación alguna en la que cobijarse; todo tiene un tinte parduzco, que camufla a los muertos putrefactos. Quince días más durará la batalla. La resistencia republicana es inconcebible.

Reyes sigue combatiendo y quizá con más fiereza, pero ya no es el mismo; sigue animando a los compañeros, pero los más jóvenes, los de la quinta del biberón, le notan algo raro y se separan de él en cuanto pueden, como si contagiara la muerte. O la tristeza. La derrota. La vida puesta sobre la mesa, jugada, para que al final la banca no te cambie las fichas. La revolución, el paraíso vuelve a quedar tan lejos como cuando Adán y Eva tuvieron que salir zumbando.

—Prométeme una cosa —le dice a Cecilia una noche. Cecilia no responde.

—Si tenemos un crío, o una cría, lo que sea, le vas a enseñar, en cuanto tenga edad de entenderlo, lo que hicimos. Vamos, no sólo lo que hicimos sino… por qué lo hicimos.

—También se lo podrás enseñar tú.

—Por encima de todo. Aunque os tengáis que esconder debajo de una manta para que no os escuchen los vecinos. Y luego, si quiere, que querrá, que siga él. O ella. Prométemelo.

—Sí.

—Y otra cosa. Si a mí no me diera tiempo… si, bueno, si un día tuvieras un hijo de otro… igual. Te puedes callar mi nombre. Pero le enseñas lo mismo.

A Reyes le caen las lágrimas por las mejillas grises de barro.

—No puede ser que tanto haya sido para nada.

El 16 de noviembre, en buen orden, la XIII brigada internacional, en la que ya no queda ningún extranjero, pasa el Ebro de vuelta. Son los últimos soldados republicanos, los que se han quedado para guardar las espaldas a todos los que han cruzado con orden el río en los días anteriores. Reyes y Cecilia cruzan con ellos. Procuran caminar normal, sin prisa, para aparentar que no tienen miedo, que es una retirada táctica, que volverán a luchar desde el otro lado, hasta la victoria. Pero ya muy pocos creen que se puede ganar la guerra. Reyes no es uno de ellos.

24

Recapitulé. Cecilia, la mujer del vestido de lilas chicas, dominaba las sombras lo suficiente para escapar de pisos rodeados por la policía; encargaba ampliaciones de retratos de su novio, un soldado loco dispuesto a morir a cambio de Franco; perdía de madrugada libretas con notas sobre su vida en guerra (y ninguna que comprometiera su seguridad actual); la policía y al menos dos, digamos, cazarrecompensas la dignificaban con un alias, la Favorita; un cazarrecompensas se había salido de la carrera, pero el otro, alguien «de su mismo lado» y que, a diferencia de la Social, sí conocía su estampa la buscaba para... bueno, para lo que se hacía en aquellos días con la mayoría de los buscados. Cecilia era el enemigo público número uno, sería condenada a la pena número uno, la pena de los campeones, probablemente en una cuneta.

¿Y tú, Jarabín?

Yo, soldado republicano menos que regular, azul divisionario cojo, friolero y hambriento, escritor de sandeces y cortinas de humo sin firma, harto de las chuminadas del régimen y los obispos, harto de su crueldad y de la pintura negra con que habían camuflado España para que sólo se vieran los guantes blancos en el desfile de asesinos, yo, Jarabín, podía a ratos creer que me había enamorado pero, según iba sabiendo más de la mujer de la libreta, comprendía que no era eso sólo, comprendía que de lo único que tenía ganas era de mover de una vez el culo, de mojármelo, para que Cecilia y lo que pretendía no murieran o, al menos, que no cayeran en el olvido.

De lo que sí me había olvidado, y parece inconcebible con lo prudente por no decir cobardón que soy, era del coche que, quizá, me había seguido desde Sol hasta mi cueva. A lo mejor era una coincidencia, aunque no fuera mi barrio de los más frecuentados por coches americanos lujosos. No me decidía a mirar por la ventana. En estos casos suelo ser más partidario de la táctica del avestruz. Ya sé que dicen que está comprobado científicamente que el avestruz no esconde la cabeza bajo el ala cuando le vienen mal dadas, pero yo no lo creo, prefiero pensar que hay en la naturaleza otros individuos adultos que han escogido el acojone ciego como método de adaptación. ¿Y cómo un avestruz como tú iba a salvar a Cecilia y sus ideas del olvido? Opté por volver a esconder la cabeza. Ya se me ocurriría algo. A veces tengo muy mal pronto.

Con mis contradicciones y todo tenía que seguir comiendo (no en ese momento, que ya había despachado el aguachirri al que llamaba sopa de cocido mi patrona, sino en general, en el futuro). Dejé a un lado las páginas que construía con la simiente de las notas de Cecilia y cogí unas cuartillas nuevas para mancharlas con las palabras que le debía a Pavón, mi negrero.

Encendí la radio y traté de olvidar el odio que sentía por mí mismo cuando escribía títulos como «El Parque del Buen Retiro, un Real Sitio para el esparcimiento de los madrileños». La mente en blanco. O peor. Afuera, vuelve a escucharse el chuzo del sereno. Clac, clac, todas las noches, toda la noche. Es una cárcel, no tiene remedio; han hecho del país un presidio con sus nocturnos guardianes aburridos y todo. Y sus capellanes de voz odiosa y lenguaje vano: el locutor declamaba unos versos de Pemán.

Giré el dial en busca de un bolero o algo que me permitiera centrarme en mi propio lenguaje insulso. De la radio salió una palabra convertida en carraspeo y al final aullido por el paso veloz de la aguja. Me pareció *Azucena de Noche*. Volví hacia atrás para localizar la sintonía. Era Azucena.

—«... te diría, querida amiga, que no puedes pasar tus días lanzándole a él reproches. En ese caso, no será él quien más sufra sino tú. Estar juntos, estar atentos, ayudarse a la más mínima petición de ayuda, a la más pequeña seña, adelantándose si es posible a satisfacer la necesidad del otro, en silencio, sin agradecimientos ni reproches, de eso depende la vida de ambos; y mañana otra vez; y al otro. Eso es amor, así tiene que ser el amor...»

¿Cómo? No era posible. Ahora hasta tenía alucinaciones auditivas. Esas frases... Esa definición del amor... Quería gritar «¡repítelo, por favor!», pero mi patrona golpearía el techo con su escoba, el jefe de casa me catearía en su informe policíaco y Azucena no lo iba a repetir. Busqué con manos temblorosas las páginas del Ebro en la libreta de Cecilia. Y luego el párrafo. Ella misma lo había subrayado. Era clavado: «Estar juntos, estar atentos, ayudarse a la más mínima petición de ayuda, a la más pequeña seña, adelantándose si es posible a satisfacer la necesidad del otro, en silencio, sin agradecimientos ni reproches, de eso depende la vida de ambos; y mañana otra vez; y al otro. Eso es amor, así tiene que ser el amor». Y se notaba que había trabajado el párrafo porque sufría de tachaduras y sustituciones varias, incluso había crecido a dos tintas.

¡No me jodas!

Las doce menos cuarto. A la radio ya no llegaba a tiempo, pero Pavón andaría todavía cerca, en el Morocco probablemente. Pavón conocía lo conocible y lo no conocible del mundo de la prensa y la radiodifusión, más aún desde que le habían contratado para una serie de comentarios de actualidad en la emisora. Conté las monedas que me quedaban. Ni para un Madrid Fútbol Club o el cóctel que estuviera de moda en ese momento. Antes de preguntarle por Azucena o por Cecilia o por quien finalmente fuera la locutora del programa debería exigirle a Pavón el pago de los dos últimos artículos que le había entregado «Avenida del Generalísimo, una avenida hacia el futuro» y «Madrid, la proa de la España nueva». Para gastarlo en él.

Bajé las escaleras sin hacer ruido. No vi ningún Packard blanco en la calle, húmeda, brillante y negra.

25

Cuando llegué al callejón que compartían el Morocco y la emisora todavía llovía con fuerza y la cortina de lluvia le daba al neón malva que anunciaba el garito una apariencia cremosa, de emulsión, de jarabe para el catarro, como algunos de los ingredientes que, dentro, utilizaban en los bebedizos; prometía calor y atenciones casi maternales, siempre que fueras un hijo de puta.

Como Pavón lo era se encontraba allí a sus anchas. Sentado en uno de los sofás de cuero granate, disfrutaba de una cogorza esponjosa que le había reblandecido las mejillas para que cupiera más sonrisa y le inflaba la papada.

—¡Coño, Jarabito, dichosos los ojos!

—Ya, ya sé que te debo uno.

—O sea, que no me traes el del Retiro.

—No, pero lo tengo ya en sucio.

—Tengo que entregarlo mañana.

—Eso me dijiste. Estaré en tu despacho a las nueve con el artículo. ¿Me vas a pagar los dos anteriores?

—Mira que eres pesetas, macho.

—Me sentía solo y me he dicho: a ver si me paga Pavón...

—Habrás dicho el gordo Pavón.

—No. He dicho exactamente: si me paga Pavón le invito y echamos un rato.

Se inclinó hacia la derecha en lo que yo pensé que era la escora final, porque también la sonrisa se le había torcido hacia ese lado y se le había cerrado el ojo, pero sólo trataba de meter la mano en su bolsillo izquierdo. El de la pasta.

—No creas que estoy yo para muchos gastos.

Pero sacó unos billetes pequeños arrugados y sin orden.

—¿Te apañas con cinco duros?

—Me los voy a beber contigo.

—Que sean diez entonces. Mañana en el despacho te doy lo que falta.

—Mañana en el despacho no habrá quien te hable y dirás que no sé escribir.

—Vamos, Jarabito, no seas rencoroso —dijo melifluo mientras con gran esfuerzo se estiraba para darme unos golpecitos en el hombro.

Pedimos un par de cócteles con ginebra, gimlets creo que les llamó, que debo reconocer estaban ricos. En cuanto calculé que habría olvidado el adelanto le entré:

—¿Conoces a la locutora de *Azucena de Noche*?

—¡Yo conozco a todo el mundo, Jarabín!

—¿Cómo se llama?

Me miró como si fuera imbécil.

—Cada día te fijas menos en las cosas, macho. ¿Cómo vas a describir el Buen Retiro si no sabes cómo se llaman los árboles, los chopos, los… los plátanos y…? ¿Cómo se va a llamar Azucena? ¡Azucena!

—Ya. ¿Es… guapa?

Pavón se puso rojo como si le hubieran cocido: pretendía que me percatara de que estaba tratando de aguantar la carcajada.

—Yo no me río —le dije.

—No, claro, tú eres un crío: estás enamorado.

—Ni siquiera la conozco.

—¡Por la voz! ¡Que no eres el único!

¡La voz! La única vez que había hablado con Cecilia ya me pareció que su voz era rara, demasiado rasposa, quizá poco natural. ¡Impostada! Cecilia intentó cambiar la voz en aquella ocasión.

Pavón puso la barriga sobre la mesa para acercarme su aliento, confidencial.

—Entre tú y yo… yo también piqué. ¡Pero tendrías que verla!

—¿Fea? —pregunté casi con pánico.

—Yo no diría tanto. No sé, chico, cada día entiendo menos a las mujeres.

Me cabreó.

—Y cada día utilizas más frases hechas. Como no escribes…

Me miró con una dureza que sólo le había visto en otra ocasión, cuando le llamaron de la Secretaría de Prensa y Propaganda para amenazarle por entregar un texto que no había leído y en el que yo había escrito que la poesía española era cada vez más literatura de viajes, porque dentro no quedaba ni un poeta que mereciera la pena.

—Te crees el más listo, ¿verdad? —me dijo de lo más serio.

—No caigo en qué tiene que ver que tú no entiendas a las mujeres con la belleza o la fealdad de Azucena —le respondí en tono suave, contemporizando.

—Porque a lo mejor, si se arreglara, tendría un pasar —trataba de hacerme daño—. Va siempre hecha un asquito. Con moño desangelado, anudado sin cariño, de aquí te pillo y aquí te mato, sin pintar, siempre con un vestido negro de campesina… Un asquito, ya te digo. Por eso no la entiendo.

—¿Tiene los ojos negros tirando a marrón?

No quise decir lo de las aceitunas porque en venganza sería capaz de pedir algo para picar.

—Oscuros sí. Y siempre detrás de unas gafas con los cristales más gordos que los antibalas del despacho del Generalísimo.

—Muy bueno —le dije y me creyó.

Pavón volvió a animarse. Lo peor fue el tufo. Los disgustos, también el miedo, le dejaban un aliento de hiena. Su rabieta, al demostrarla repanchigándose en el sofá para alejarse de mí y zaherirme con su mirada de arriba abajo, me había proporcionado cierto alivio, pero ahora volvía a la carga. Lo confidencial le chiflaba.

—Yo creo que es tortillera.

—¡Venga ya! —exclamé, pero con ese tono que utilizamos los hombres para demostrar que el asunto nos excita.

Pavón movió la cabeza arriba y abajo, lentamente, varias veces: quería decir que lo confirmaba, que me olvidara del «creo», una guarra.

—¿Por qué estás tan seguro?

Pavón me mostró sutilmente su sonrisa de conocedor. Casi medio minuto. Después:

—Porque está liada con Camino Cifuentes de la Riva, la que representa a la Sección Femenina en la emisora.

—Cuenta, cuenta.

Me dio vergüenza animarle con esas palabras, pero el fin justifica los medios.

—Desde la guerra —dijo Pavón efectista.

—¿Estuvo Azucena con los nacionales?

—¡Quiá! Aunque ahora no se le note, era una roja.

—¡Cuéntamelo de una vez, coño!

Error. Había vuelto a perder los nervios. Pavón me miraba con una pose de Merlín el Mago; me quería atrapado. Comprendí.

—Otros dos... ¿gin...?

—Gin fizz.

—Otra ronda —le dije al camarero.

—Fue Camino la que pasó la guerra en Madrid. De quintacolumnista, claro, por eso tiene ahora el puesto que tiene. Entre tú yo, de periodista ni la visera.

—¿Azucena también?

—También. Tiene un estilo más cursi que una yema de Santa Teresa. Empalagosa.

—Digo que si también estuvo en Madrid en guerra.

—Por lo menos al principio. Se conocieron en febrero o marzo, o quizá, siendo como son, en plena primavera del treinta y siete. Al parecer fue un flechazo, aunque Cupido llevara pañuelo de miliciano. ¡Siéntate a mi lado, coño, que no quiero gritar! Esto que te voy a contar es hasta peligroso. Menuda es la tal Camino. Se entera de que lo sé y me corta los huevos. A más de uno le ha privao del aliento.

Deseé que la tal Camino se enterara, pero despúes de que Pavón hubiera desembuchado. Me senté a su lado.

—La desangelá, o sea, Azucena, fue de las primeras que se echó a la sierra. Que era miliciana, vamos. Y un día que estaba de permiso por Madrid, ya sabes cómo eran ésos, en cuanto tenían un hueco se venían a Madrid a follar... El caso es que llegaba Azucena por Princesa y ve que un grupo de milicianos le están diciendo cosas a una mujer, como treinta y cinco debía de tener entonces Camino, cosas gordas, ¿eh? Que si puta, que si puta beata... Al parecer Camino se había persignado cuando escuchó que un miliciano se cagaba en Dios. Total que ella, Camino, que ya te digo que es de armas tomar, les empieza a llamar de todo: blasfemos, sindiós, herejes, quemaiglesias... Y ellos ríe que te ríe, puta que te puta. Total, que Camino se enfada de verdad y les llama asesinos y luego, peor, cabrones. Y los milicianos que se descuelgan el fusil de la espalda y van a por ella, vamos que si no es por Azucena le dan el paseo ahí mismo. Pero, por lo visto, Azucena les gritó «¡quietos!» y ellos se amilanaron y obedecieron. Como te lo cuento, se cagaron vivitos con la miliciana. Imagínate quién sería la tiparraca. Un cuadro. De los comunistas, claro.

—¿Y se liaron y ya está?

—¡No! ¡Qué va! Azucena acompañó a casa a Camino. Fin de la historia. Cada mochuelo a su olivo. Se liaron después, en el treinta y nueve, ya con la Victoria, para cuando se celebró el tercer año triunfal. Como en julio o así.

—¿Quién te lo ha contado con tanto detalle?

—La propia Camino. No que estén liadas y eso, pero sí el cuento. Dice que está muy orgullosa de su amistad.

Dudé si creerle. Que Camino se lo hubiera contado no debía de ser cierto, pero puede que sí el resto, en términos generales. No hizo falta que le animara para seguir.

—A Azucena la detuvieron en Alicante, en el puerto, donde, como sabes, los más cándidos entre los cándidos esperaban un barco que se los llevara con su República a otra parte. Los barcos nunca llegaron pero sí los italianos. Menuda cosecha hicieron. Dicen que hasta se suicidaban para no ser hechos prisioneros. Azucena aguantó, quizá creía que podía pasar inadvertida con su carita de tonta. Pasó unos cuantos días en el Campo de los Almendros y, cuando la iban a meter en el tren para traerla a Madrid, se escapó. Nunca me he fiado de los italianos. ¿Sabes lo que dice Sthendal de ellos en *La Cartuja de Parma*?

—Ya me lo leeré. Sigue, anda.

—Se hizo el camino andando. Desde Alicante. Caminando y escondiéndose, campo a través. Nada de carretera. Alguien tuvo que ayudarle en el trayecto, en algún pueblo, algún pastor, yo qué sé. Llegó a Madrid con los pies sin piel y más delgada que el Caballero de la Mano en el Pecho, del que tampoco le quedaba gran cosa. No sé si ella lo había pensado antes o no, pero, claro, en Madrid no vivía en su sitio nadie que la conociera ni se enseñaban por ahí. En las catacumbas, macho, los que no ocupaban plaza en el cementerio. Total, que después de tirarse dos días en Madrid, por la Casa de Campo, sin comer, vendida… lo único que se le ocurre es plantarse en casa de la mujer a la que había ayudado contra los milicianos. En Gaztambide, que era adonde la acompañó tras el mal trago. Camino no la denunció, la curó, la alimentó y otras muchas palabras agudas. Después, hablando al finalizar los coitos prohibidos, se enteró de que la roja era licenciada en Filosofía y Letras y le ofreció un trabajo en la radio. Vivieron felices, comieron perdices y colorín colorado.

—¿Tú te lo crees?

—¿No te digo que la fuente es la propia Camino?

—¿Viven juntas ahora?

—¡Quiá! Son muy cautas.

—Y ella, Azucena, ¿no está buscada?

—Eso es lo mejor. Camino le proporcionó a su pichoncito una documentación nueva y absolutamente legal. Esto no me lo ha contado ella. Ni quiero seguir porque me la juego.

—No se llama Azucena entonces.

Se encogió de hombros Pavón.

—Yo no termino de creérmelo —terminó confesando—. Camino Cifuentes de la Riva tiene agarres suficientes como para haberla avalado y salir del paso sin más ni más. A no ser que estuviera muy comprometida.

—¿A qué hora entra a la radio?

—Suele llegar como a las diez, diez y media de la noche. ¿Te pagas otro? ¿A que están muy buenos? A los falangistas no les gusta porque el nombre es en inglés.

El quinto gin fizz me dejaría otra vez canino, pero prefería garantizar a la mañana siguiente la amnesia alcohólica de Pavón. Pagué uno más y me despedí. Quería volver cuanto antes a la libreta en mi cuarto.

Al salir me topé con los ojos de Ramiro, el pianista. ¿Sabía? No quise meterle en el ajo. Ya tenía él suficiente con su vida.

26

En Madrid ya se ha perdido todo. Hasta el honor, dicen algunos, que lo ha entregado Casado. La tumba del fascismo, como la llamaban, se va a abrir, ahora sí, para acoger en su seno a los que la defendieron como buenos hijos, a los que soportaron los bombardeos y aguantaron la reducción de las raciones hasta la lágrima, a los que soñaron.

—¿Cuándo van a entrar?

—Cuando les salga de los cojones.

Es toda la conversación que han escuchado desde que salieron de Madrid en un camión descubierto. Veintitantos hombres y Cecilia viajan hacia Valencia con la misión de organizar partidas que hostiguen y contengan a los fascistas mientras se organiza la evacuación de la gente. Por mar. Van a llegar barcos a los puertos de Valencia, Gandía y Alicante para sacar a todos los que quieran marchar, que son la mayoría, por lo menos todos los que recuerdan la entrada de los vencedores en Badajoz. Junto a Cecilia y Reyes el núcleo de su partida estará formado también por Torbado, Sevilla y el Cazurro. Buena gente. En Valencia recogerán al resto; serán grupos de diez o quince los que hagan el gasto.

Dicen que el enemigo va a cortar la carretera de un momento a otro. Pero han llegado a Motilla del Palancar sin problemas. Sólo un par de aviones pasan más arriba de las nubes, probablemente Heinkels. Los almendros florecen al lado del camino como si la República no estuviera agonizando.

En Valencia, la ciudad es un caos. Parece que algunos barcos han salido ya hacia Orán, hacia Marsella, no se sabe con certeza. Y tampoco si habrá más. Lo más seguro es ir a Alicante y los partidos y los sindicatos organizan las columnas de camiones que sacarán a la gente.

Mientras Reyes, Sevilla y Torbado se presentan en Capitanía General para recibir órdenes, Cecilia y el Cazurro van a Tetuán, a la casa del Partido Comunista. Tres o cuatro personas, aplicadas en sus escritorios, hacen listas de los camaradas que deben trasladar hasta Alicante. Parece mentira pero, por el momento, hay orden. Cecilia se admira de que sepan en qué camión ha salido ya fulanito o cuál es que le tocará esta noche a menganito.

—Venimos a hacer guerrilla en las carreteras o en los montes o por donde coño avancen ésos —le dice el Cazurro a uno de los camaradas después de identificarse.

—¿Jodido no? —responde el chico con indiferencia porque está muy ocupado.

El Cazurro se siente ofendido, sólo le queda su fe en la República y la vanidad, pero se contiene ante la mirada de ruego de Cecilia. Ambos esperan a que el escribiente termine sus anotaciones.

—¿Y qué? —vuelve a preguntar el camarada, que apenas tendrá veinte años.

—Que queremos saber dónde va a haber alguien en Valencia si nos cortan y llegamos tarde al puerto —dice Cecilia—. Un sitio donde quedarnos, donde escondernos.

—¿Alguien? ¿Cuando entren?

—¡Sí, cojones, cuando entren! Ahora no nos hace falta. Ya sabemos dónde estás tú —grita el Cazurro.

—¿En Capitanía no os han dicho nada? —pregunta el chaval, un poco asustado.

—¡En Capitanía tienen cuarteles y no querrás que, después de guardarte el culo, nos escondamos en un cuartel de la legión, por ejemplo!

—Yo no sé, camaradas, yo… El que puede se está marchando y después… No sé de nadie que se quede y quiera esconder a alguien.

El Cazurro golpea la mesa con el naranjero pero no vuelve a hablar porque Cecilia le coge del brazo y tira de él hacia la calle.

—Nos van a copar —dice el Cazurro.

—Ya estamos copaos; eso era antes.

—Alguien se quedará, ¿no?

—Eso es seguro, hombre. Al chaval, que no se lo han dicho, pero descuida, que ya estará pensada una red para escondernos —miente Cecilia.

El Cazurro la mira y sonríe: no sabe si está tratando de engañarle a él o a sí misma. Se dirigen los dos hacia Santo Domingo, a encontrarse con los que salen de Capitanía.

—Esta noche a las once en Benicalap, en la puerta de «La Ceramo». Nos dan siete hombres y un camión. Tenemos que apostarnos en Ventaquemada, a unos cuarenta kilómetros en la carretera de Madrid —dice Reyes.

—¿Alguna ametralladora?

—Dicen que lo intentarán. Si encuentran, nos la mandarán con el camión. ¿Y vosotros?

—Cuando nos corten tendremos que quedarnos en el monte —dice el Cazurro demostrando que Cecilia no le ha engañado—. Y tirar por él pa' Francia, supongo.

—No nos cortarán —dice Cecilia con una seguridad que no tiene y que no engaña ya a nadie.

Reyes la mira como si la viera muerta. Las manos le tiemblan. Mientras enciende un pitillo se recompone. Mira a todos con gesto de ánimo.

—Ala, id a ver si encontráis algún sitio donde descansar —dice Reyes con una sonrisa y guiña pícaro un ojo para tranquilizarles—. Cecilia y yo tenemos uno. A las diez en Benicalap, ¿eh?

27

En un lateral de la Estación del Norte, casi esquina con la calle Xátiva, ven en la ventana de un primer piso el rótulo oxidado color sangre vieja de la pensión La Utielana. Suben. Reyes no ha dicho ni una palabra desde que despidió a los compañeros. Cecilia, mientras caminaban, le ha contado lo que sabe de Valencia: el edificio de La Equitativa, la plaza del Ayuntamiento, han dado incluso un rodeo para explicarle la Lonja pero él no ha despegado los labios. Intuye Cecilia lo triste que va a ser la tarde de marzo en la pensión veterana.

No admiten huéspedes, reza una cuartilla clavada bajo el llamador, y sólo después de llamar diez veces abre la puerta una anciana en alpargatas. La mujer no se asusta ni sorprende de los naranjeros y las pistolas que le cuelgan a la pareja por sus cuatro costados. La mujer no se asusta ya de nada. Cecilia discute la primera negativa.

—Va a ser sólo esta tarde —dice Cecilia intentando transmitir que ese plazo de tiempo no se refiere sólo a su estancia en la pensión, sino en el mundo—. Yo misma le hago la cama después.

Le puse ante los ojos las mías abiertas para rogarle que no las perdiera de vista. Lentamente saqué del bolsillo trasero del pantalón su libreta negra, que había traído como pretexto para romper el hielo, y se la ofrecí.

—Vivo en Salitre —dijo cogiendo el cuaderno—. Si nos paran, les dice que me ha pagado tres duros.

33

—Es usted un imbécil —me soltó apenas entramos y cerró la puerta de la buhardilla.

No empezaba con buen pie, que es mi sino. Para darme algo de entereza y no asentir, pensé que si teníamos un futuro en común siempre recordaríamos con ternura esa primera frase en esos nuestros primeros segundos de intimidad. Como un imbécil.

—No sabía que la andaban siguiendo.

—Yo sí.

No parecía la misma mujer que tres calles más allá se había roto. Con movimientos enérgicos abrió un armario diminuto y cogió, cerrando con fuerza el puño en torno a ellas, las dos o tres prendas que colgaban de unas perchas de alambre. De debajo de la cama sacó una maleta de cartón. Cuando la abrió vi que estaba casi llena. Tenía siempre hecho el equipaje. Metió la ropa con perchas y todo en la maleta y se sentó sobre ella para cerrarla. Junto a la mesilla de noche había unos zapatos de tacón que se calzó. ¿No pensaba decir una palabra más?

—¿No me pregunta por qué he ido tras usted?

Me miró con lo que yo llamaría sarcasmo y ella gesto seco.

—Llevo siete años viviendo entre hombres. Mañana, tarde y noche. He visto demasiadas veces su misma mirada para pensar que pudiera usted tener una razón diferente a la de los demás.

—Devolverle la libreta.

No me creyó. Ni yo lo esperaba. Pero calló.

—¿Por qué dejó de escribir?

—Lo que pone ahí ya lo saben los que me buscan. De lo que sigue prefiero que no se enteren jamás.

Me miró fijamente durante unos segundos y se sentó en el borde de la cama, con algo parecido a la resignación.

—¿La ha leído?

¡Le caía bien! ¡Puede que hasta le gustase un poco! En muchas otras circunstancias hubiera disfrutado de ese momento, que es el que buscan los seductores: el momento en que te inunda la certeza de que la mujer será tuya; todavía queda trabajo por hacer, a veces ingente, pero sobre el resultado tienes la certidumbre. Sin embargo, la verdad cruda me provocó un escalofrío: yo, que había sopesado con relativa frialdad la posibilidad de que aquella mujer me trajera la desgracia, yo… le había traído la desgracia a ella. Y un escalofrío más hondo: la quería, la quería tanto como para aguantar su desdén por mi torpeza, para soportar por tenerla el desprecio por mí mismo y la culpa, para comerme para siempre mi cinismo y ser capaz de decirme que si tenía que morir por ella no lo haría por tedio, ni porque me fuera a arrepentir sobre mi última almohada, que, si tenía que morir por ella, sería por ella.

—La he leído. ¿Por qué os buscaba ese hombre? —pregunté apeándole de tratamiento sin darme cuenta.

—Eliseo Frutos.

—¿Por qué?

—¿Qué hora es?

—Las tres y media.

—No puedo salir de noche con la maleta.

—Cuéntamelo entonces.

—Antes te voy a aliviar de culpa.

No la habían encontrado siguiendo mis pasos, aunque ella insistía en que ese hecho, excepto para mí, significaba muy poco. Cecilia había elegido seguir en la calle y eso llevaba irremisiblemente a que tarde o temprano la trincaran, ya fuera la policía, Eliseo, Al Gandul u otros como ellos.

—¿Te han seguido a ti entonces? —pregunté.

Cecilia negó mientras le daba vueltas a un anillo que llevaba en el anular derecho. Era un sello y parecía bueno; bueno en ambos sentidos: que era de oro y que realmente, en su tiempo, había sido utilizado para marcar lacre y garantizar el secreto en la correspondencia. Sólo los nobles tenían sellos buenos. Resultaba raro, imposible en términos nobiliarios, en la mano de la hija de un minero. Y resultaba evidente que lo llevaba hacía bastante tiempo: lo utilizaba para ayudarse a pensar.

—Ha sido el amor. El amor ha matado a Reyes, que no tendría por qué haber bajado a Madrid, al menos todavía no. Y el amor ha puesto a los de Eliseo tras de mí. Últimamente me está dando por pensar que sólo se muere violentamente por amor. Hay muchos tipos de amor.

—¿El tipo del anillo los ha mandado contra ti?

Me miró durante unos segundos y sonrió:

—Algo así —dijo—. Estoy segura de que has oído hablar de Camino Cifuentes de la Riva.

Tentado estuve de negarlo; sin embargo, en el último momento y sin pensar me salió un movimiento afirmativo.

—¿Qué dicen de nosotras?

—Que tú la ayudaste durante la República y ella a ti cuando volviste a Madrid.

—Y que somos lesbianas.

—No, yo no he oído...

—Vamos.

—También lo dicen, sí —confesé.

No mostró indignación, ni siquiera un gesto de molestia. Cuantos más detalles conocía de su vida, más se convertía mi galanteo en algo parecido al Juego de la Oca, una senda cuajada de obstáculos a cuál más absurdo, con su laberinto y su «30», su pozo profundo y negro como una mente aterrada, con la celda oscura de una cárcel en una de las curvas, y el paraíso, un prado bien verde con su laguito surcado por ocas de un blanco puro, varias casillas más allá de la muerte. Y sólo en el juego ésta era franqueable al azar del dado.

—Sin ella al caer la noche no habría soportado un día y otro y otro... una perspectiva sin fin de días repletos de miedo.

—¿Por qué me lo cuentas?

Se encogió de hombros:

—Tienes razón, da igual porque no lo entenderás —dijo.

—Yo también he pasado miedo y he abrazado a mujeres sólo para olvidarlo, pocas, eso sí.

—¿Ves? No es cuestión de abrazar y descargar para olvidar, aunque sea un instante. Es todavía más animal: consiste sólo en tener otra piel pegada a la tuya y sentir con todo tu cuerpo, con todo tu cuerpo, digo, que por mucho que pase fuera, por mucho que sufrieras ayer o por mucho que vayas a sufrir mañana, no eres más que un hombre o una mujer, un animal, que sólo necesita comer y, tanto como comer, la seguridad de que por la noche un semejante te necesitará lo suficiente como para pegar todo su cuerpo al tuyo.

—¿La falangista estaba de acuerdo con eso? Es peor que un delito, es pecado. Ella tiene derecho, los demás no. Son para todo igual.

—Por eso les hemos combatido.

—Y la muy puta te ha denunciado, ¿o no es así? Es ella la que ha enviado a Eliseo a Santa Isabel.

—¿Puedes tú asegurar que, por conseguir a la mujer que quieres, no vas a traicionar?

34

Pasamos la noche hablando.

Me contó lo que ya he contado yo más arriba. El golpe de Casado, el control en Ciudad Lineal, la muerte de dos anarquistas apellidados Frutos, las rencillas de las familias Frutos y Usano, la deriva de Eliseo hacia el bandolerismo.

—No te miraba con odio cuando estabas a punto de matarle —le dije.

Se encogió de hombros. No le había sorprendido mi apreciación; estaba seguro de que ella también lo sabía: tal vez la cuenta pendiente de Eliseo Frutos con Reyes fuera una cuestión de lindes y de venganza, pero la que tenía con Cecilia no era la misma.

—Debería haberle matado.

—Tampoco me miras con odio a mí —dije no sin cierta coquetería—. Yo también me he metido en medio.

Los ojos se le llenaron de lágrimas.

—Reyes ya estaba muerto. Comenzó a morirse en el Ebro.

—Lo sé.

—Déjame hablar. —Y tras una pausa—: Por favor.

Con la maleta a sus pies y la chaqueta de punto sobre el vestido, con las lágrimas contenidas y la mirada más allá de los muros, parecía una viajera dispuesta a confesarse en la sala de espera de una estación con alguien a quien no volverá a ver jamás.

—Reyes no tenía mucho, nunca tuvo mucho, ni siquiera era de mucho pensar. Es más que probable que por eso precisamente le quiera tanto.

No se me escapó el presente; a ella tampoco.

—Tenía, eso sí, habilidad para el combate en solitario, para ocultarse, atacar y ocultarse, entusiasmo y una fe muy curtida en la revolución. Esa fe es la que le daba la valentía y con ella el orgullo de ser. Dos cosas quería en esta vida: ganar la guerra y frenar al fascismo en el mundo y trabajar mañana en una sociedad revolucionaria; en lo que fuera, en el campo, en una fábrica, le daba igual; construir con los compañeros, ver crecer la prosperidad con todos y para todos. Bueno, tres cosas, quería también otra: sin creer en Dios es muy difícil luchar tanto para luego morir sin más, quería tener hijos que continuaran luchando y que disfrutaran de lo construido.

—Le prometiste darle uno.

—Tenerlo.

—Sí, eso, tenerlo y educarle como un revolucionario.

—Cuando comprendió que perdíamos la guerra se convirtió en una obsesión. Era como un mártir católico a quien sólo le importa el más allá. Después de perder en el Ebro, a Reyes sólo le importaba ya que su o sus hijos siguieran luchando. Y que le recordaran por algo. Él mismo se daba por muerto. No tanto porque descartara rendirse y supiera que le iban a matar más pronto que tarde, no. Se daba por muerto porque había perdido la fe y con ella la valentía. Nadie lo notaba, seguía siendo el primero en saltar de la trinchera y el último en quedarse a proteger culos, pero lo hacía porque no sabía hacer otra cosa. Había perdido la valentía… sólo lo notábamos él y yo.

—Después de lo de Valencia y Alicante… ¿no os volvisteis a ver?

Negó despacio; se alisó el vestido para aliviar, supongo, la presión que le crecía tras los ojos, muy rojos ahora.

—Pasaba mucho miedo… por mí. Quería tenerme en una urna. Lo que había sido camaradería, igualdad, yo qué sé, hombro con hombro… se convirtió en pánico a que me hirieran, a que me mataran, a que nos separaran… para siempre. En Alicante le metieron un tiro en un costado. Por eso no pudo llegar al puerto. A Torbado le mataron; Sevilla siguió con él, le curó. Pero para cuando sanó la guerra estaba perdida. Franco tenía el control de todo el territorio. Sevilla y Reyes consiguieron llegar a Francia caminando, sin desarmarse.

—¿Y tú?

—Me escapé cuando me trasladaban del Campo de los Almendros a la estación para mandarme a Madrid. No era difícil. A las mujeres no nos controlaban mucho; de hecho, algunos trenes con presas llegaron a Madrid sin vigilancia; sabían, o creían, que las mujeres volveríamos a casa como borregos y allí ya se encargarían los vecinos de denunciarnos; las que tuviéramos algo que pagar, pagaríamos igual.

—¿También regresaste a Madrid andando?

—También.

—Y aquí te ayudó la de la radio, ¿no?

—¿Quién te lo contó? —preguntó.

—Es igual. Un periodista. Te conoce por Azucena. No sabe lo que hiciste en guerra y tampoco tiene mucha credibilidad.

Se quedó un rato con la mirada fija en mí, pero no me veía; sencillamente anotaba en su memoria el flanco que tenía abierto con ese periodista que no sabía que se llamaba Pavón.

—Me estabas contando lo de Reyes.

—En Francia luchó en la resistencia. El año pasado, el cuarenta y dos, yo ya había logrado contactar con la gente del partido que quedaba aquí y mandé mensajes a Francia para que me lo localizaran. Lo conseguí por una casualidad: Reyes, Sevilla y algunos más se habían dado a conocer porque estaban preparando una entrada en España y estaban colectando armas; querían unirse, y si era posible unificar, a los grupos dispersos de guerrilleros que quedaban por los montes. Le envié un mensaje para que me esperara en Francia, que me reuniría con él. Pero no quiso. En cuanto supo por los enlaces que yo tenía la vida resuelta con documentación limpia y el trabajo en la radio, me mandó un recado tras otro: no te muevas, no hagas nada, yo llegaré a Madrid. Advertí a todos los enlaces para que no le dijeran que yo seguía militando; no le iba a ser fácil saberlo porque él todavía era de la CNT y ninguno de los míos le diría nada. No hace ni seis meses me mandó una carta con Prudencia, la mujer que hemos llevado al hospital. Me decía que mandaba una partida por el Maestrazgo, más o menos por donde nos movimos después del Ebro, y que en cuanto consiguiera un traje decente se plantaba en Madrid. Me hablaba también del miedo. Por la mañana da gusto ver levantarse el sol, decía, pero por la tarde se hace de noche muy rápido, tanto que no te da tiempo a engatusar al miedo. Los dos habíamos sentido ese miedo del monte antes. Te entra y se acopla en ti, el estómago rígido, las sombras amenazadoras. Los animales que somos sienten angustia a la caída del sol, sobre todo cuando no tienes un lugar donde cobijarte. Eso ya lo sabía Reyes de cuando cuidaba el ganado de su padre y lo volvió a sentir después, cuando dejó su pueblo y vino a buscarse la vida a Madrid. Desde un pueblo en la alcarria de Cuenca, muy cerca también de los montes en que se encontraba ahora. Cuando llegaba el atardecer y todavía no sabía dónde dormiría se le hacía un nudo en la garganta y pensaba que no servía para nada, que no debiera haber dejado la casa paterna. A las ovejas se les notaba la misma angustia, a los perros también. El miedo a una noche más. Me decía, casi con estas mismas palabras, que en el monte, ahora ya sin un ejército a la espalda y sin mí, más que nunca se sentía un animal. Por el miedo pero también por su único, obsesivo deseo: dejarme preñada. Hoy, como ya has visto, Prudencia me ha venido con el recado: Reyes estaba en Madrid.

—Tu madre decía que sabía siempre y al momento si se había quedado embarazada.

—¿Qué quieres saber?

—Tú, sin embargo, no has sentido nunca eso.

—Hasta hoy.

Lo dijo con un tono que buscaba sólo hacerme daño. No me lo decía por confianza, ni como un homenaje a su hombre recién muerto; se trataba de una especie de delicada venganza. Estaba en su derecho.

Me habló de Xeraco, el pueblecito valenciano que había conocido el último o el penúltimo día de la guerra, de unas casetas en la playa en las que tuvo por una sola vez el pensamiento de que podría dejarlo todo y quedarse a vivir allí con Reyes, viendo salir el sol por el mar y ponerse por los montes, pescando, oscureciendo su piel y endureciendo sus manos hasta que el tiempo se cansara de que siguieran encorvados.

Me habló de nuevo de Eliseo. Fueron amigos y era un gran tipo. Decidido y muy entregado a la causa. Juntos, Eliseo, Reyes y ella, fueron en el 37 a la raya de Francia a detener al Andorrano, un guerrillero que controlaba algunos pasos al país vecino en el Pirineo catalán y que se había hecho célebre por su venta de huidas a barceloneses ricachones. Hicieron su trabajo y al volver se corrieron una juerga en el Barrio Chino, que Eliseo controlaba como un indígena. En el 37, Eliseo no hubiera dudado ni un segundo en dar su vida por el triunfo de la CNT y la FAI, de la revolución; de hecho, se la llevaba poniendo en bandeja a las autoridades desde el 25. Cecilia creía, como ya está dicho, que Eliseo continuaba convencido de que aún hoy hacía la revolución o, al menos, luchaba en una guerra. En cierto modo eran muy parecidos Reyes y Eliseo, sobre todo en su incapacidad para asumir la derrota y la necesidad de recomenzar el trabajo con paciencia; como ya ha sucedido y sin duda volverá a suceder, algunos hombres, una vez que han tenido un arma en las manos y han combatido por motivos que consideran justos, jamás se acostumbrarán a seguir luchando de otra manera. Prefieren la muerte, aunque traten de aplazar la cita correteando por muy diferentes caminos. Si Reyes buscaba trascender, pasar la antorcha, terminar su revolución, mediante la paternidad, Eliseo se engañaba y entretenía dándole al machete (la pistola en tiempos de paz es demasiado ruidosa). Que persiguiera a Cecilia era una anécdota.

—¿De verdad crees que no le dio tiempo a matarte? —le pregunté.

—Reyes había dejado la Luger bajo la almohada.

—Aun así; por lo que imagino, poco le hubiera costado a Eliseo ponerte el machete en el pecho después de…

Cecilia se encogió de hombros. Sé que soy un paranoico y que la vanidad me condena a los celos, pero yo detectaba en Eliseo algo más que el impulso por la ordinaria venganza.

—¿Crees que te seguirá buscando?

—Sí.

—¿Hasta cuándo?

—No me encontrará. Si de verdad tengo un crío, no me encontrará jamás.

—¿De qué vas a vivir? A la radio no puedes volver.

—Ya saldrá algo.

—Ni siquiera tienes ya un documentación… limpia

—Me costaba utilizar su jerga, me sentía un impostor haciéndolo, un estafador.

—De eso no te preocupes.

Pasamos unos minutos sin hablar y en mi caso no porque estuviera reflexionando. Sólo la miraba. Y deseaba tocarla.

—Cásate conmigo —le dije sin pensar; y comencé a soltar una sarta de insensateces—. Sé de una chica que desapareció en el cuarenta, más o menos de tu misma edad; sus padres han muerto. Podría conseguirte sus papeles sin mucho esfuerzo. Nadie te reconocerá. Cásate conmigo.

Me acarició la mejilla sin sonreír. No me atreví a tocarla. Por la sucia claraboya entraba un poco de luz borrosa. Se puso en pie y cogió la maleta.

—No quiero que me acompañes.

—Es por seguridad —le dije—. Si nos paran, les diré que voy a despedir a mi novia.

En la estación se esforzó para que no me enterara de su lugar de destino.

—Déjame que te dé mi dirección por lo menos. A lo mejor un día te hace falta.

—Dímela.

—¿No te la apuntas? —pregunté al ver que no sacaba ni lápiz ni papel.

—Me acordaré.

Por un momento creí que lo decía con tanta seguridad para indicarme que se la iba a grabar en el corazón; luego se me ocurrió la que sería su primera norma: nada de llevar escritos nombres completos ni direcciones. Me conformé pensando que también era de agradecer. El revisor llamaba a los pasajeros al tren.

La despedí agitando el pañuelo, como entonces se estilaba; en la clandestinidad hay que ser muy cumplido para estas cosas. Entre la fumata negra de la locomotora y la blanca que expelían los frenos del convoy a ras del suelo, me quedé como un gilipollas pensando en qué le diría al diablo en mi lecho de muerte sobre esta forma de dejarla ir. ¿Cambiaría en mis postreros instantes el alma por volver a Atocha este día y que me permitiera correr hasta alcanzar el último vagón? Luego pensé que probablemente el diablo ni se acercaría a verme morir y recoger mis pedazos, porque el dolor ya era tan grande que ni él podría inventarse algo para superarlo, ni siquiera teniendo por delante la eternidad.

Me escribió Cecilia una carta cuando parió a la niña; no decía dónde vivía pero el matasellos era de Madrid. A la criatura le iba a poner Reyes de nombre, o María de los Reyes, que era lo preceptivo.

TERCERA PARTE

Enero del 45

35

Ahora, en la madrugada del 1 al 2 de enero del 45, después de sacarle al gordo Pavón bajo amenazas un adelanto por los artículos de las tres próximas semanas, viajaba en un tren correo hacia Valencia, hacia un pueblecito con mar, que según el cura Ángel era el destino que Cecilia había escogido. Y a mí, que conocía la única referencia a una vida corriente que ella había escrito en su libreta, una vida familiar de trabajo y pequeñas compensaciones en Xeraco, me parecía probable. Esconderte y educar a tu hija ganándote la vida al sol, aunque de vez en cuando te compensaras haciendo proselitismo entre los *pescateros*, hubiera sido también mi opción. Ni en eso hubiéramos discutido.

Había aprendido: compré el billete Madrid-Valencia, aunque la estación en la que pensaba apearme quedaba un poco antes de final de trayecto, y en un momento en que no había nadie en la cola de la ventanilla; después deambulé por el vestíbulo sin dar ninguna referencia de a qué andén pensaba dirigirme y, finalmente, no cogí el tren hasta el último segundo y me quedé en el estribo mientras el convoy avanzaba, para comprobar que nadie después de mí había subido a él. Los malos no me utilizarían de guía en esta ocasión.

La nieve que cubría los campos a partir de Fuentidueña de Tajo me recordó, como a los clásicos, una mortaja; y de la mortaja fue bien fácil pasar a Eliseo y a lo cerca que Cecilia debió ver a una y a otro en Vallecas para que se acordara de la mañana en que, al despedirnos, le dije mi dirección «por si algún día te hace falta». Hace falta estar muy apurada para reclamar la ayuda de un tipo como yo, un tipo que para ir a rescatar a su doncella se ve obligado a viajar con Renfe. No voy a decir que los minutos pasaran con la misma lentitud que los postes del teléfono, pero casi.

El cura Ángel decía que había vivido Cecilia en Vallecas al menos el último año, ahí al lado de mi pensión, a tiro de metro, respirando el mismo aire con olor a verdura corrupta y a gasógeno que yo. El buen Dios del cura Ángel no conseguiría explicarme nunca por qué su providencia había dispuesto que Eliseo la hubiera encontrado de nuevo y mi menda no. Y no porque no la hubiera buscado. Sin mucha fe, también es cierto, pero desde que recibiera la carta informándome del nacimiento de la niña, no había dejado de patear las calles en su búsqueda, de arrimarme como el que no quiere la cosa y con el oído pronto a los círculos de rojos, rojillos y meros chuletas, de leer con avidez las secciones de sucesos de todos los periódicos, hasta los de provincias, a sabiendas de que sólo por dejadez del censor informarían de algo, y de preguntarle a Pavón por nuevos cadáveres con la garganta abierta.

Por cierto, a los pocos días de dejar a Reyes padre muerto en la buhardilla, el gordo Pavón me vino con un cuento: no se iba a publicar, claro, pero sabía de más que buena tinta que la policía había abortado un complot para atentar contra el mismísimo Franco; un ácrata conocido y muy buscado, un bandolero de las montañas pasado al llano, había aparecido degollado en una céntrica buhardilla en la que a buen recaudo encontraron pruebas evidentes de su perfidia (Pavón hablaba así, aunque era ágrafo), entre ellas un croquis con las alambradas del Pardo y bien identificadas las ventanas del santuario en las que el Caudillo hacía vida; fuera quien fuese el asesino del maquis, Dios lo había enviado.

—¿Iba a matar él solo a Franco en el Pardo?

—Habrá cómplices, hombre, no subestimemos a esa gentuza. De hecho, parece que yace postrada en el Clínico una mujer, una estraperlista, con síntomas parecidos a los del bandolero, pero no han podido probarle nada.

—¿Tiene que ver o no tiene que ver?

—La policía al final se ha tragado su historia —dijo Pavón negando—. Según sus propias palabras, escritas porque aún no habla, a ella la acuchilló un hombre envuelto en una capa negra y con sombrero de ala ancha del mismo color. Tendría cojones que un maníaco carnicero, un sátiro, un asesino en serie, se nos hubiera cargado a uno de los enemigos públicos número dos.

—¿Quién es el uno?

—¡Stalin, cojones, Stalin! —Y se descojonó el zampabollos.

Me abandonó la esperanza de encontrar a Cecilia y a

su cría cuando me vino a la cabeza la idea de que el matasellos de Madrid podría no ser sino un subterfugio o una casualidad: era muy probable que ella le hubiera dado la carta a un enlace y éste traerla y reexpedirla aquí. Seguí buscando, pero ya sin ansia o con más ansia pero sin ánimo. También continuaba viéndola a veces en esquinas inalcanzables y en tranvías atestados que se alejaban y sobre todo en sueños: me sonreía con doblez porque tenía otra boca sanguinolenta abierta en su cuello blanco.

De uno de estos sueños me despertó un cabo de la Guardia Civil: estaba inclinado hacia mí, sobre mí, que me había adormilado sobre el duro banco de listones de palo al que llamaban acomodo en los vagones de tercera; en esa postura y tal vez por el tricornio decimonónico, parecía que el guardia me estaba sacando a bailar un minué. Pero sólo pretendía mi carné de baile:

—A ver, la documentación.

—¿Eh?

—¡Que saques los papeles, coño! —dijo su verdadera pareja.

Las divisiones administrativas en que se reparten las Comandancias de la Benemérita siempre habían resultado para mí tan misteriosas como su tocado y sólo en ese momento llegué a deducir que, al menos cuando se aunaban con Renfe para torturar al viajero, su jurisdicción era provincial. Era la tercera vez que una pareja distinta me obligaba a identificarme: una en Madrid, más o menos por los campos del Jarama, otra en Tarancón, recién entrados en Cuenca, y la tercera, la del baile, apenas pasados los túneles que evitan las cuestas del puerto de Contreras y te dejan ya en el clima más benigno de la provincia de Valencia. En el *trenet* que une Carcaixent con Xeraco una más. En este tren de vía estrecha, los guardias no sólo opinan sobre si tú eres tú, también sobre el idioma en el que te expresas. Sólo les faltó darle un culatazo a un labriego que les contestó en valenciano y de buenos modos; le dijeron de todo… en castellano, aunque con la algarabía yo sólo lograba entender «Ezpaña». Joder, pensé, si les hablas por ejemplo en cualquier idioma eslavo te achicharran en la plataforma bajo la acusación de carecer de don de lenguas o, afinando en jurisprudencia, del don de su lengua, que ellos con generosidad se dedicaban a exportar.

En Xeraco, después de quedarme solo en la estación, alquilé un carromato que me bajó desde el pueblo hasta la playa, a unos cuatro kilómetros uno de otra, por un camino que comenzaba de tierra discurriendo entre naranjos y pronto, al atravesar unas marismas, se hacía de arena y se convertía en un desfiladero flanqueado por cañas verdes y de grandes hojas que doblaban en altura a un hombre. Era mediodía y, aunque hacía un frío húmedo que se reía de mi trinchera, el sol brillaba en su cenit con una luz que me sacó los colores aún antes de terminar el trayecto (también hacía mucho más conspicuas las manchas de mi atuendo). El carretero, aunque era hombre de pocas palabras y todas en un castellano gutural y cantado, no dejó de advertirme de que buscara lo que buscase no lo iba a encontrar en la playa de Xeraco: allí sólo vivían dos o tres familias de *pescateros*; aparte de ellos, nada, excepto los huertanos que bajaban del pueblo cuando les tocaba el turno de riego y que a veces pernoctaban en las barracas que aquí y allá podían verse entre las cañas. No, no había oído hablar de que hubieran llegado una mujer y una niña como de un año y pico. Pero...

Ese «pero» era lo que yo andaba buscando.

—No soy policía —dije.

El hombre me miró con sorna. No tuve más que abrirme la trinchera: el conglomerado de prendas remendadas que se veían y las que se adivinaban en los bultos ridículos que formaban en mi americana tres tallas grande, pareció dejarle más tranquilo. Le enseñé la mitad del dinero que me daba Pavón por un artículo. Aquello terminó con sus sospechas: ningún policía ofrecía dinero; preferían repartir hostias. Miró los billetes con avaricia.

—Pregunta por Rufino —dijo.

Y con un movimiento tan rápido y sutil como el de la lengua de un camaleón me arrancó los billetes de las manos. Coño, hasta debía poseer ventosas en las yemas de los dedos. Se llevó por tres palabras lo que yo cobraba por dos mil. Astucia campesina. Quise amortizar.

—¿Quién es Rufino?

Habíamos llegado a una caseta de paredes blancas y techo de palma (o de hojas secas de alguna otra planta que se me antojó casi tropical) que exhibía el cartel publicitario del nitrato de Chile, un jinete con sombrero de hacendado negro sobre fondo de un amarillo alegre, lo más alegre que por aquellos días podía verse en nuestro medio rural. La caseta estaba a unos cincuenta metros de la orilla del mar y sólo separada de éste por una playa de arena fina y blanca que se perpetuaba a derecha e izquierda, una playa de las que se sueñan cuando eres gente de secano y calzoncillo largo. En la playa tres barcas pequeñas, esquifes, y tres hombres con el torso desnudo y sudorosos a pesar de enero sacando del mar una cuarta. Me había quedado tan atontado con los azules infinitos que no había recibido respuesta.

—¿Dónde pregunto por Rufino?

Con un gesto el carretero me señaló la caseta del nitrato y después miró hacia delante con obstinación. No estaba dispuesto el hombre a soltar ni una palabra superflua. Eso es carácter. Anoté mentalmente sus rasgos de estilo para reproducirlos ante Pavón cuando me exigiera correcciones o la ampliación de un párrafo. Si volvía a ver a Pavón. Salté a tierra y, buen alumno, me despedí con un movimiento muy breve de cabeza. El carretero arreó a la mula, giró y se alejó a paso arriero abriendo profundos surcos en la arena, que se cerraban después con movimientos de agua.

La diferencia de luz era tan notable entre el exterior soleado y el interior de la caseta que tardé unos cuantos segundos en ver algunas sombras. Primero un pequeño mostrador, más bien una mesa porque estaba en el centro del zaguán sin tocar ninguna pared. Tras el mostrador, una anciana arrugada, desdentada y del mismo color que las hojas secas que formaban el techo, se acunaba en una mecedora con asiento y respaldo de rejilla. No se inmutó al verme. El zaguán no tendría más de diez metros cuadrados; en las paredes estanterías tan desdentadas como la anciana porque sólo muy de vez en cuando les salía un bote de leche condensada, una caja de sobrecitos de gaseosa o litines o un paquete de achicoria; en los rincones, en el suelo, redes de pescar muy bien dobladas. Era o había sido una tienda de abarrote.

—¿Sabe usted dónde puedo encontrar a Rufino?

Antes de que la anciana pudiera contestar entró en la tienda un hombre joven, uno de los que momentos antes sacaba del mar la barca. Sin saludar simuló interesarse por el estado de las redes tiradas.

—No hi ha ningún Rufino ací —dijo la mujer (o algo parecido).

—El cochero me ha dicho que preguntara aquí por él.

—No le conozco.

—Sí, abuela, Rufino, el del cuartel, el cabo de la Guardia Civil —dijo el nieto.

Coño, caza mayor. O eso o el carricochero se había reído de mí. O las dos cosas: ni siquiera me había dicho que hubiera un cuartel de la Guardia Civil en los contornos.

—¿Hay Guardia Civil aquí? —pregunté como un gilipollas, pero no quería que la conversación decayera.

—Sólo Dios y ellos están en todas partes —respondió el pescador con una carcajada.

—¿Y el cuartel?

—Venga.

Salimos al exterior y de nuevo las tardas niñas de mis ojos, heridas por el fulgor de la arena, se tomaron su tiempo hasta alcanzar el tamaño adecuado. El pescador señalaba un camino que partía desde la explanada en la que se asentaba la caseta y corría paralelo a la playa.

—Siga ese camino, el de los borrons, y encuentra el cuartel. No tiene pérdida. La bandera a lo mejor no está puesta, porque se pudren con el salitre, pero el «todo por la patria» se lee todavía; lo repintaron en el cuarenta.

Sabía que se estaba riendo de mí, pero se lo agradecí de todos modos y eché a andar. Él se quedó mirando sin disimulo, con la mano sobre los ojos en forma de visera. Me sentí ridículo con mi ropa de ciudad entre las cañas y las huertas de plantas reptantes, como enredaderas pero con las guías avanzando y extendiéndose a ras de la arena; luego me enteré que eran melones y sandías.

¿Qué coño le iba a preguntar a un cabo de la Guardia Civil? ¿Han venido por aquí dos huidas, una bandolera y su aprendiza? ¿Se llamaría Cecilia en este contexto Cecilia? ¿Y si el carretero era todavía más chusco de lo que demostraba, que ya era mucho, y me había enviado a los únicos que sabrían qué hacer con un tipo con trinchera en una playa de sueño?

No, concluí, el carretero no me quiso hablar mientras pensó que yo podría ser policía, lo que significaba que trataba de proteger a la mujer y a la niña por las que le pregunté. Además, un cuartel de la Guardia Civil suponía para Cecilia la mejor guarida en que esconderse. Ni siquiera Eliseo Frutos se atrevería a medir sus fuerzas con la Benemérita. Una mujer de recursos.

36

El cuartel apareció de repente, insospechado. Terminaban bruscamente las cañas del lado interior del camino y, tras un viñedo pequeño que parecía campo quemado en esta época del año, surgía la mole intimidante por lo escondida: fachada de treinta metros, dos pisos con siete balcones en cada uno de ellos, garitas en los costados y el portalón de los sustos que, efectivamente, bajo un mástil desnudo exhibía un frontispicio con el lema civilero. Todo por la patria. El problema es lo que cada uno entiende por patria. Tanta razón como ellos tenía yo si consideraba mi patria a una mujer y una niña que huían de un asesino y lo daba todo por sus vidas y la mía junto a ellas. El problema era que esa patria mía quedaba dentro de lo que ellos consideraban «su» patria. El guardia que estaba de plantón sentado en una silla apoyada contra la pared en dos patas ya me había visto y adoptado las medidas precautorias: puesta en pie, subfusil montado y ademanes de lobo exagerados. Se aburrían salvajemente en aquel puesto.

—¿Quién va? —preguntó, lo juro.

—Gente de bien —contesté después de repasar mis lecturas.

—Los papeles.

Quedaba corroborado que no hablaban con nadie si no existía presentación previa, como señoritas decimonónicas. Le mostré mis papeles, incluido el certificado de divisionario. Sonrió al leerlo.

—Os dieron p'al pelo, camarada.

—Un poco, sí.

—¿Qué haces por el culo del mundo vestido de alemán chiflado?

—La gabardina es inglesa.

—Pues peor.

—Busco al cabo Rufino.

—¿Eres pariente?

—No.

—Entonces cabo Bermúdez.

—Eso.

—¿Para qué le quieres?

—Asuntos personales.

Me miró de arriba abajo, descarado. Le eché valor y, muy serio, con aplomo, cogí con dos dedos mi documentación, que aún tenía entre los suyos. En estos casos, lo bochornoso y castrador, lo que marcará al menos a tres generaciones de españoles, lo más visible del régimen, el acojone generalizado era de agradecer: hasta los guardias tenían que cuidarse las espaldas, por si acaso y no fuera a ser que... el cojo tuviera agarres o simplemente hubiera luchado en el mismo frente que el cabo.

—¡Mi cabo! —gritó y añadió con amabilidad—:

Baja enseguida, está de guardia en la sala de banderas.

Imaginé a Bermúdez, un guardia verde sin rostro, porque adormilado apoyaba su frente en los antebrazos que cruzaba sobre la mesa, en una sala con el olor a moho, a ratas, a agua de fregar que emanaba de cientos de trapos plegados en pilas y podridos por la humedad.

—¡Mi cabo, que le están esperando!

Después de llamar a su superior por segunda vez, el guardia de guardia se refugió del sol bajo el arco de entrada, pero no me invitó a hacer lo mismo; la verdad es que, a pesar de ser enero, me sobraba algo de ropa, aunque no tanta como para suplicar cobijo a la sombra. Al contrario, al cabo de unos minutos, y por primera vez en muchos meses, noté con gusto en las axilas los reguerillos reconfortantes del sudor. Bendito clima.

Por fin apareció Rufino Bermúdez, cabo de la Guardia Civil, que fue como se presentó mientras se llevaba la mano a la sien de acuerdo con el reglamento. Era su buena cabeza más alto que yo, los ojos saltones, que bien pudieran ser debidos a los rigores de la guardia, una única ceja corrida y no se había afeitado. A pesar del comprensible desaliño parecía una buena persona; arreglado pudiera incluso emanar aires de honradez y comprensión. Su edad, unos cuarenta años.

—¿Qué desea?

—Mire, a lo mejor le parece un poco raro…

—Si ha llegado hasta aquí todo tiene que ser muy raro —me interrumpió sonriendo con afabilidad.

Yo no me decidía a hablar con claridad. El guardia pegaba la oreja a nuestra conversación como, supongo, le habían enseñado a hacer. El cabo Bermúdez se percató y me cogió del brazo.

—Venga por aquí —dijo tirando de mí hacia dentro del cuartel; y al guardia—: Y tú, los ojos bien abiertos. Guarda esa silla ahora mismo.

Era una casa-cuartel y muchas de las ventanas que daban al patio interior tenían tendederos con ropa puesta a secar: verde, negra y blanca nada más; la blanca hería los ojos con su blancura. Las altas paredes multiplicaban el llanto de un niño chico. Dos mujeres menudas escogían naranjas de un buen montón apilado en un rincón del patio; nos miraron de reojo, pero no respondieron a mi saludo.

—Perdónenos —dijo el cabo—. Éste es un puesto para luchar contra el contrabando, pero es también, si no disciplinario, sí de tirón de orejas. Aquí sólo nos pudrimos los que hemos metido la pata alguna vez. Y, claro, estamos resentidos y demasiado advertidos. Si llega alguien nuevo, vete tú a saber quién es: un mando amenazador, otro represaliado que vale menos que tú. Eso es lo que piensan esas mujeres. Pero a mí me gusta. Desde mi casa se ve el mar.

No tenía nada de particular: el cuartel estaba a menos de doscientos metros de la playa, pero me conmovió el tono con que lo dijo, como si el cabo supiera que eso es lo más que se le puede pedir a la vida. Le seguí por unas escaleras muy empinadas y luego por el altillo de la corrala. Abrió una puerta y se hizo a un lado para dejarme entrar primero.

—Está usted en su casa.

Dios me libre, pensé, aunque realmente le estaba agradecido por el trato. La puerta daba directamente al comedor en el que se veía una mesa rectangular cubierta por un hule a cuadros amarillos y verdes, una vitrina con vajilla en su interior y seis sillas pegadas a las paredes; la foto de un matrimonio de principios de siglo y un mapa de la provincia de Badajoz, el único decorado. Aunque hacía mucho más frío que en el exterior, la casa, no sé por qué, parecía acogedora.

—Siéntese. Mi mujer está paseando a la niña por la playa, pero si quiere corto un poco de mojama y nos la picamos con vino.

Mojama, vino, un guardia civil amable y educado. Ahora entendía lo que decían sobre la diversidad esencial de nuestro país.

—Muchas gracias. Pero todavía no he contestado a su primera pregunta. Quizá deberíamos dejar el picoteo hasta que sepa a qué he venido.

—Lo sé.

Y desapareció por una puerta que debía ser la de la cocina por los ruidos de cubiertos y cristalería que escuché después. El descanso que sentí me alimentaría más que cualquier cosa que me pudiera ofrecer Rufino. Sabe y me trata con deferencia y corta mojama. ¿Sabe?

Entró de nuevo en el salón con un plato, una jarra y dos vasos.

—Sí, deje de torturarse, sé lo que quiere usted —dijo mientras colocaba el aperitivo sobre la mesa—. Viene a buscar a Cecilia. Coma, beba y deje que se lo cuente despacio, que no tiene uno muchas ocasiones de hablar con alguien que no resople.

Llenó los dos vasos hasta el mismísimo borde, bebió del suyo un trago largo y comenzó a hablar.

—Ya le he dicho que estoy aquí como represaliado. Un hermano mío combatió con los rojos, con los republicanos, vamos, y no por quinta forzosa sino como guerrillero. Tengo que purgar hasta que me den el certificado de limpieza de sangre —sonrió con amargura; al parecer era un chiste—. Yo no, quiero decir que no combatí... directamente, en el frente. Estaba en Badajoz, en la raya de Portugal, y en Badajoz seguí toda la guerra. Mi mujer es de por aquellas tierras. Nosotros somos... bueno, yo, yo soy de por aquí, para el monte pero de por aquí.

De otro trago se terminó el vino y llenó de nuevo su vaso. Los ojos saltones y azules se le habían aguado.

—Un día, como a mediados o finales de mayo del treinta y nueve recibí una carta de una tal Cecilia; me escribía que había estado al lado de mi hermano cuando murió y que guardaba unas cuantas cosas de él que me pertenecían. Una medalla con la Virgen de los Desamparados, un mechero de plata de nuestro abuelo y una larga carta con mi nombre y dirección que Gabriel, por lo visto, había ido escribiéndome a ratos durante toda la guerra. Gabriel era mi hermano pequeño y yo para él como un padre. Siempre tuvo un poco la cabeza a pájaros, pero... si quiere usted que le diga la verdad... ya desde que era casi un crío ponía tanto corazón cuando hablaba de libertad, de repartos de tierra, de que se podía terminar con el hambre y la miseria de todos los días que... —Se le escurrió una lágrima que se secó, quizá con daño, con el galón de la manga de su guerrera—. A mí al final hasta me tenía convencido. Pero… bah, es igual. El caso es que Cecilia me decía que le había prometido a Gabriel que, si a él le sucedía algo, me entregaría en mano esas cosas. Yo creo que Gabriel lo hizo pensando precisamente en algo como lo que al final ha pasado: él sabía, o creía, ya ve usted, que si perdían la guerra yo estaría bien situado y podría llegado el caso ayudar a Cecilia. Ya, ya me ha dicho ella que no eran novios ni nada. La guerra, que une mucho.

—¿Se lo ha dicho ahora? —pregunté ansioso.

—No, hace… cuando vino a tener a la niña.

—¿Y ahora?

—Espere, un poco de paciencia, ya llego. Me gusta hablarlo porque… —la cara se le puso roja—, porque es como si estuviera diciendo el responso de mi hermano. ¡Me cago en Dios, cuánto nos conocía Gabriel para preferir pegarse un tiro a caer prisionero! ¡Qué coño de guerra ha sido ésta! ¡Qué puta mierda de paz estoy guardando!

Había hablado muy alto, casi gritando, y las lágrimas corrían ya sin control por sus mejillas. No puedo evitar ser como soy y pensé que, de seguir tan hermanado, la próxima represalia le llevaría directamente al paredón.

—Perdone, perdone, ya termino. En aquellos días, en el treinta y nueve, Cecilia, bien lo sabrá usted, no podía acercarse a darme las cosas. Después, cuando me trasladaron aquí, le envié mi nueva dirección a la calle Gaztambide, me acuerdo. Se presentó de siete meses y en unas condiciones… para qué contarle. Había estado en el monte, con los bandidos, los guerrilleros, vamos; apenas tenía carne y si le mirabas debajo del párpado estaba más blanco que el ojo. Mi mujer decía que la criatura así no saldría adelante. En la carta Gabriel me hablaba de ella, una mujer buena, sin dobleces, decía, aunque me dio la impresión de que debía andar enamoriscado. —Sonrió—. Era muy enamoradizo Gabriel. Bueno, pedí permiso a la Comandancia para tener con nosotros a una prima de mi mujer que se había quedado viuda por accidente laboral y me lo concedieron. Tuvo a la niña aquí, con mi mujer y una matrona del pueblo. Fíjese qué gilipollas soy que la quise enseguida, como si hubiera sido hija de Gabriel. Mi mujer igual. A veces, las noches de guardia, pienso en por qué y me contesto: es en realidad hija de Gabriel y del otro y del otro y del de la moto, la hija de los vencidos. No sé lo que hizo usted en la guerra pero parece que también es hija de usted. Y mía, ahora que ya he visto de qué va esto, mía también. Y de mi mujer, que creo que preferiría que me fusilasen a que le pasara algo malo a esa niña.

Un escalofrío me recorrió.

—¿Está ahora su mujer con ella, con la niña?

—En la playa, ya le he dicho.

—¿Y Cecilia? Dígamelo de una vez.

—Se ha marchado.

—¿Adónde?

—Al pueblo de su marido. Gascueña, en la provincia de Cuenca, después de Huete y antes de llegar a Priego. Me dijo que usted vendría.

—¡Por qué no me ha esperado entonces, joder!

—Quería alejar al hombre ese de la niña. A mí no me dejó intervenir. Dijo que el hombre tenía agarres y que si sabía que yo estaba en el ajo destrozaría mi carrera o algo peor, ya ve usted. Y necesitamos el sueldo para la niña. Me consuelo pensando que lo que de verdad pretendía Cecilia es que a su hija no le faltaran unos tíos. Y tiene razón. Insistió en que, cuando la niña entendiera, le contáramos las cosas que me decía Gabriel ya desde chico, lo del reparto de tierras y la libertad.

—¿Sabía Cecilia que el hombre ese iría a Gascueña?

—Parecía estar muy segura de resolverlo todo allí —dijo encogiéndose de hombros—. No me quiso decir más, aunque llegué a rogárselo.

—¿Cómo puedo ir a ese pueblo del demonio?

El cabo Rufino se levantó con una sonrisa astuta y salió del comedor. Volvió con algo envuelto en un trapo sucio de grasa y un mapa.

—Tenga —dijo entregándome el mapa. Y desenvolvió lo que guardaba en el trapo—. ¿Sabe manejar esto?

Era una star.

—Claro.

—En el pueblo, en Jaraco —pronunció el topónimo en castellano—, justo a la entrada desde la playa hay unas naves, un almacén es. Tiene unas puertas como de cochera. Sin candado. Allí hay un Citroën pato que marcha bien. Yo mismo le vendo la gasolina al dueño. Un hijoputa que lleva el gasógeno para disimular. Por la tarde nunca hay nadie. Coja también uno de los bidones que esconde detrás de unas tablas como para construcción. Yo creo que con uno llega hasta Cuenca. Suerte.

Metí la pistola en uno de los bolsillos de la trinchera y, cómo no, me sentí mucho más vulnerable con ella encima. Pesaba como un pecado bien gordo. Rufino me despidió a la puerta de la casa-cuartel con un apretón de manos. Cuando llegué al camino escuché a mis espaldas una risa infantil. Me giré y vi cómo una niña se soltaba de la mano de una señora y con paso inseguro corría hacia los brazos abiertos del cabo en cuclillas.

37

Si alguien no ha viajado en enero en un Citroën pato de los años treinta por las hoces del Cabriel, los altos del Cabriel, la meseta ondulada entre Motilla y Honrubia, los cerros pelados de Huete para terminar en la alcarria conquense, al lado ya de la serranía, no sabrá nunca lo que es pensar en el infierno con deleite, soñar con el infierno. El día en que se instale una buena calefacción en las casas y en los coches, la residencia ardiente de Satanás volverá a infundir pánico. Hasta entonces, sólo provocará cierta atracción; más valdría que a los niños les metieran miedo con mandarles a vivir a España en invierno en coche (ataviados además a la moda local).

Había robado el pato y el bidón de gasolina sin contratiempos. Otra cosa fue conducir el artefacto por aquellas pistas de huerta hasta la general. Al segundo giro, por no caer en la acequia, hube de desprenderme de una de las elegantes aletas delanteras contra un naranjo. Después todo fue mejor, sobre todo cuando descubrí que el potente motor tenía cuatro marchas y al engranar la más larga dejó de hacer aquel ruido de avión en las cuestas abajo.

No estaba mal para alguien que había sido expulsado de una batería de transportes por destrozos. No, nunca me dieron el permiso de conducción de vehículos en el ejército, pero el Citroën era mucho más fácil de manejar que aquellos camiones pesados y lentos. En cuanto me acostumbré a no meter las ruedas en la cuneta en las curvas a izquierdas comencé a rodar como la seda. Sin comer, sin dormir y con una sola parada para hacer aguas menores, en diez horas me planté en La Peraleja, un pueblecito donde me informaron de que el siguiente era Gascueña.

—En eso —por el pato—, a uno o dos cigarros de aquí.

Fueron dos y el tercero me lo eché en un alto desde el que se podía ver Gascueña entero, las pobres luces que dibujaban a muy ralos trazos sus calles, y en el que me detuve para estudiar la situación. Al menos la geográfica porque de la otra estaba en blanco y sólo se me ocurría una palabra para resolverla: arrestos, por no decir cojones. Que los tuviera o no era otra cuestión. Dos palabras. Después se me ocurrió también redaños, pero la verborrea no mejoró mi ánimo. Tuve que esperar al alba.

La primera luz me permitió ver que la caseta junto a la que había aparcado el pato era en realidad una ermita, la Ermita de San Miguel Arcángel, como un rótulo rezaba sobre su puerta. Sobre el altar una imagen en madera polícroma representaba a un sanmiguel y a un diablo bien musculados combatiendo. El diablo, aunque conservaba para la eternidad un gesto de resolución y fiereza, había nacido ya atravesado por la espada del arcángel, que no sonreía por su victoria constante. La construcción que les cobijaba, rodeada de olivos de plata por la escarcha, era un cubo de color blanco con una cruz en el tejado a menos de diez metros de la carretera; un buen parapeto si hubiéramos de salir del pueblo con el malo a nuestros talones y un buen punto de observación desde el que decidir retiradas tácticas o definitivas.

El pueblo de Gascueña está, literalmente, pegado a la pared de un monte, una pared casi vertical, y todas las calles que mueren en ella, perpendiculares a la carretera, son unas cuestas de viacrucis. Hacia el otro lado, campos de sendas estrechas y luego tres montes aislados entre sí, oteros, impracticables también para la huida. La carretera era la única vía de escape. Estrecha, de grava, retorcida, no ofrecía ninguna garantía a un novato en la automoción como yo. Cualquiera que hubiera obtenido el permiso por la vía legal, aunque fuera en la mili, me daría caza enseguida. Una ratonera. ¿De verdad esperaba Cecilia enfrentarse aquí con el gato Eliseo y ganar? Puede que el amor sea ciego, pero por eso mismo te hace tan sensible como los topos a los depredadores: el vello se eriza, los músculos dan tirones involuntarios y todo el cuerpo te pide huida y, ante la imposibilidad, gestos de furia y al final ataque. Cada uno por su amor, Cecilia y yo nos encontrábamos en la fase última. Sus razones tendría ella para haber elegido este campo.

Lo que no estaba tan claro es por qué me había escogido a mí, solitario y patoso, para hacer manada. Tal vez había supuesto que yo, como macho en una colonia de topos, enseñaría los dientes y las garras afiladas al agresor, bailaría danzas amenazadoras y bufaría rabioso y hasta me dejaría matar por defender a una hembra y su cría.

Pero hasta donde yo tengo entendido, eso, sobre todo lo de llegar hasta el final, sólo lo hacen los machos dominantes. ¿Habría visto ella que yo apuntaba maneras?

El sol, que ya ponía coral rojo en los tejados, la pesada star, que ahora bien estibada me equilibraba, y el deseo de ver a Cecilia borraron mis dudas y me pusieron en marcha. Conduje el coche hasta los arrabales del pueblo y lo medio escondí tras otra ermita, en esta ocasión dedicada a la Virgen del Rosal, con más pinta de iglesia que la anterior y con su contenido guardado por una gruesa puerta de madera sin mirillas; de los aleros de su tejado colgaban carámbanos del calibre de un muslo de pollo y las cepas que la rodeaban, todavía no bendecidas por la luz, parecían las escarbaderas del mismo animal quemadas, retorcidas y ennegrecidas por los hielos. Con los huesos crujiendo entré en el pueblo.

38

Las calles de Gascueña habían sido empedradas por estoicos camineros con guijarros de cualquier tamaño; algunos, rotos por los cascos de las caballerías o por las llantas de las galeras, presentaban al caminante muy afiladas aristas, como las de las lajas de pedernal que incrustadas en el bajo de los trillos cortan y terminan desmenuzando la parva extendida en la era; como desmenuzaban las suelas de mis zapatos, ya sutiles a fuerza de años de coger el tranvía sólo cuando resultaba imprescindible. Aun con mi cojera y los movimientos reflejos de mis gambas disparadas de cuando en cuando por el punzante firme, me esforcé por mantener la dignidad de un andar garboso para solaz, espero, de las docenas de ojos que me espiaban tras los visillos o a través de las pequeñas ventanitas de las puertas de las cuadras. Unos cuantos perros ladraron a mi paso. Uno o dos borricos rebuznaron. Pero ni un alma me salió al encuentro, ni hombre ni mujer ni infante permitieron mi contacto. Incluso algunas ventanas a las que me dirigí por estar iluminadas se oscurecieron cuando me acercaba a ellas. Como si ya supieran de qué iban los fantasmas con trinchera.

En la plaza, de planta poligonal irregular, con su fuente central y sus soportales con columnas de madera, el ayuntamiento oscuro con torre y reloj de esfera blanca que daba las siete. En el ayuntamiento ni un alma (si es que las cobijaba cuando a otras horas lo frecuentaran funcionarios victoriosos). Me preguntaba qué indicios de la presencia de Eliseo o de Cecilia buscaba, un Packard blanco para la de él, quizá una vibración de amor y espera o el aroma a azafrán en el cristalino aire de la mañana para la de ella, cuando un hombre achaparrado que tiraba del ronzal de un asno cruzó una de las calles que daban a la plaza dos esquinas más abajo. Corrí para alcanzarle, pero se había esfumado como ánima del purgatorio, aunque éstas no tiren de burros, a no ser que a ese sinvivir hayan sido condenadas. Sin embargo, al final de la calle transversal por la que habían desaparecido el veloz chaparro y su castigo, un reflejo de luz, más amplio, más blanco y a menor altura que el de las exhaustas bombillas de la iluminación pública, reverberaba en la pared de un frontón a la que daba el color de la corteza del queso de Cabrales. Me acerqué a hurtadillas para que no tuvieran tiempo de apagar la luz a mi llegada. Era una taberna; en la fachada pintado, leproso, el anuncio blanco y rojo, ahora bilis y sangre seca, de la Coca-Cola, de cuando en España aún se vendía Coca-Cola; en el interior, por las posturas en silencio, el tabernero y un parroquiano, quizá el alma en pena, vestidos los dos con tabardos de piel vuelta de oveja. Cuando después de tragar saliva iba a entrar, un dedo gor-

267

do, un punzón, el mango de una sartén, el cañón de una pistola, cualquier cosa estrecha y dura y que dolía incluso a través de mis buenos ocho centímetros de ropas, me presionó en la columna. Y lo manejaba un tipo más bien alto, rubiales, con un bigotito recortado de gigoló y unos ojos felices por el deber cumplido.

—Te llevaré con ellos. —Ése era su deber.

Definitivamente era una pistola, porque junto con sus palabras escuché el doble chasquido que emitió al montarla. Expresándose sólo mediante ella por presiones en uno u otro de mis riñones, el rubiales me condujo de vuelta a la plaza; después subimos por una de las calles que morían en la pared del monte; arriba del todo, la iglesia; junto a la iglesia, una casita baja, apenas una choza o una construcción auxiliar para guardar aperos; en cualquier caso, construida en piedras sin tallar, informes o multiformes, y con tan poca argamasa que en los agujeros que permitían entre ellas podían entrar puños. La puerta de la choza, de madera vieja, gris, carcomida, agrietada, aunque ocupaba casi toda la fachada y llegaba hasta el tejado, era de tan poca altura que tuve que agacharme para entrar; dos escalones de bajada conseguían que en el interior pudieras andar erguido. Un candil de aceite iluminaba el zaguán, que también era cocina, a juzgar por una chimenea y las trébedes y pucheros que tenía alrededor. En la chimenea unas brasas rojinegras, que no impedían que siguiera viendo mi aliento aun bajo techo; de hecho, si daba la espalda a la chimenea, era lo único que veía. El pistolero me cacheó, encontró mi pistola y se la guardó; después me puso con suavidad una mano en el hombro para indicarme que debía seguir avanzando. Obedecí y avancé con las manos por delante, como un sonámbulo de chiste gráfico, hasta tocar una pared áspera y con protuberancias; láminas de yeso cayeron al suelo.

—A la derecha —susurró mi guía.

Tanteé la pared en esa dirección hasta que toqué unas cortinas muy gruesas, como de cine de la Gran Vía.

—Entra. Procura hacerlo por la izquierda; a la derecha te quemas —dijo una voz desde dentro, como si fuera Pedro Botero dando instrucciones para acceder al averno a un diputado socialista.

Di con la abertura del telón y entré escorándome hacia la izquierda. Percibí al mismo tiempo el fuerte calor y la luz que me hirió los ojos. Al girar la cabeza para evitar el dolor vi el origen del calor: una salamandra al rojo vivo justo a la derecha de la entrada cuyo tubo circulaba a mi espalda por una pared y dos de los laterales del techo de la estancia. Seguía sin poder ver nada hacia delante.

—Ahora te quito la luz —dijo la misma voz y, en efecto, dejé de chupar foco—. Tú, Lolo, quédate fuera.

Lolo el rubiales salió.

Los muros de la habitación que daban al exterior estaban cubiertos de arriba abajo por gruesos cortinones, blancos como la leche, para evitar, supuse, el frío que se colaría en imaginaria forma de cuchillo entre las piedras sin argamasa y para amortiguar los sonidos del interior. Sentada sobre una cama, también con colcha muy blanca, estaba Cecilia. Llevaba el vestido azul con lilas chicas y, a pesar de sus ojeras y de que sus labios tenían el color de la luna y apenas se diferenciaban del resto de su piel, su rostro era más bello que nunca y su gesto sereno y… algo más: si al entrar a un café hubiera visto un gesto así en la mujer que me esperaba, no habría tenido la menor duda: me quería, me deseaba. Esas cosas se saben: sin sonreír sus labios sus ojos me sonreían.

—Siéntate en la cama también. Separados.

Me había olvidado de la voz. Eliseo estaba medio sentado en el borde de un escritorio de madera, antiguo y probablemente muy caro. No era el tipo de escritorio que esperas encontrar en una choza de corral; sobre su superficie una escribanía de cuero y dos pistolas. Una máquina de escribir en una mesita auxiliar, una silla de oficina y un sillón de cuero para lectura componían el resto del mobiliario. Y un armero con escopetas de caza en la única pared sin cortinas, la que daba al zaguán. Una guarida, un estudio…

—Yo nací aquí —dijo Eliseo a modo de presentación.

Un útero, una infancia.

—La nostalgia —continuó—, que tira de los hombres infelices, es decir, de los hombres, como la maternidad, el futuro, una nueva mañana en el mundo tira de las mujeres felices.

—No sabía que también fueras predicador —dije.

Soltó Eliseo una carcajada sincera y Cecilia soltó mi mano, que había cogido para contener mi lengua sin contar con el sentido del humor del asesino. Deseé que se me ocurrieran más réplicas hirientes para morir con nuestras manos enlazadas.

—¿No es así, Cecilia? —preguntó Eliseo.

—Puede. ¿Por qué, Eliseo? ¿Por qué Reyes y yo? ¿Por qué mi niña?

No voy a decir que no me sintiera excluido; al fin y al cabo iba a morir como el que más.

—Porque así es el mundo… camarada. ¿Por qué yo nací aquí de un padre que siempre estaba en la cárcel o gritando por ahí consignas que le llevaran a ella? ¿Por qué… Reyes y tú os encontrasteis con él y con mi hermano en aquella barricada?

—No supimos que eran ellos hasta después. Lo sabes.

—Eso es lo que trato de decir. No sabíais. No se sabe. Nunca se sabe. El mundo es así. Ahora es injusto que yo me vengue. ¿Dónde está la injusticia? Suceden, las cosas suceden. No hay bien ni mal, justicia ni injusticia. Suceden.

—Y tú estás hecho para pensar, para saber por qué —dijo Cecilia, serena.

—No. Estoy hecho para sufrir, para pasar hambre, para combatir, para perder. Otros para ganar. ¿Para pensar? ¿Para pensar qué? ¿Por qué Reyes y tú y no tú y yo? Para pensar eso también, ¿no?

Acabáramos. Y Cecilia bajó los ojos y no respondió. Cecilia lo sabía. Había sabido siempre que Eliseo estaba enamorado de ella.

—Reyes era un mierda. ¿Cómo te pudo dejar así?

—Tenía un deber que cumplir.

—¡Ah, la República! —exclamó Eliseo bastante alterado—. Si me hubieras querido a mí, tú hubieras sido mi república, la niña y tú mis ideales. —Y rió con tristeza—. ¿Sabes que, desde que terminó la guerra, voy a mirar cada cadáver de mujer que entra o sale de una comisaria, de una cárcel o un cuartel en Madrid? ¿Que pido fotos de muertas a las comisarías, cárceles y cuarteles de provincias? Esperando siempre que seas tú, temiendo siempre que fueras tú.

—Cuando empezamos sabíamos que quizá no veríamos el fin de la lucha. Me acuerdo que hablamos tú y yo de eso, los tres hablamos de eso una noche. En Barcelona. Nuestros hijos o nuestros nietos verían el fruto.

—La revolución, también la revolución —asintió Eliseo—. Te voy a decir lo que va a pasar. Lo que va a pasar y lo que ha pasado con el paraíso. Primero fue propiedad de Dios; él decidía quién entraba o se quedaba a las puertas; y estaba lejos, fuera de la tierra y muy lejos en el tiempo. Aquí abajo, cada cual se las apañaba como podía. Los había ricos y pobres, los que gozaban y los que sufrían. Los hombres, algunos hombres, no veían eso... justo, como tú dices. Y pensaron que el paraíso podría construirse en la tierra. No les dejaron, claro. Llegó luego Marx y Bakunin nos enseñaron que sí que era posible, que podríamos vivir todos sin sufrir pero... que una o dos generaciones deberían morir en el intento. Nuestros hijos o nuestros nietos lo disfrutarían. Tampoco eso les convino a los que ya tenían el paraíso aquí. Y así será a partir de ahora, el paraíso no se alcanza; se tiene o no se tiene; se nace en él o se nace fuera. Y no va a ser el paraíso que tú y Reyes... y yo... soñábamos, no. Quizá logren que muchos no pasemos hambre, ni frío, ni miseria, pero... ¿a cambio de qué? De la sumisión total, de no piar, de no piarla, de no quejarse ni luchar, de ser de una puta vez por todas lo que siempre han querido, dominados, esclavos. Ése va a ser el paraíso. ¿Para eso tanto temer por la vida de tu hija?

—No hemos terminado… Algunos no. Seguimos piando. Allá tú.

—¡Vas a morir para nada! ¡No quieres escuchar! ¿Ni siquiera puedes fingir por tu vida?

El rostro de Eliseo era un dibujo del dolor. Se llevó las manos al pelo, a la cara, desesperado porque Cecilia no hubiera entendido, no hubiera querido entender, nada de lo que él había dicho. Y Cecilia aprovechó el momento. Saltó hacia el escritorio como una fiera y cogió una de las pistolas. Eliseo intuyó el movimiento y con la misma rapidez la sujetó por las muñecas. Mientras forcejeaban me hice con la otra arma que permanecía sobre la mesa. Quería dispararle a Eliseo entre las cejas pero me conformé con apuntarle a la cabeza en general.

—¡Quieto! —grité con voz firme, aunque las piernas me temblaban como si hubiese estado acarreando sacos de cemento durante toda la noche.

—Suéltala —dije a sabiendas de que no iba a ser obedecido.

Me pareció que Eliseo sonreía con un gesto que no era una sonrisa exactamente sino la mueca con que debían de sonreír los verdugos, aunque eso nunca podremos saberlo, ¿verdad?

Entonces entró Lolo con su arma en la mano, apuntándome, y sucedió lo increíble.

Yo tenía a Eliseo, sonriente o no, encañonado, Eliseo encañonaba a Cecilia y Lolo a mí. Supe que iba a morir, que de aquella no me salvaba ni la Caridad, y mi vida no pasó ante mis ojos en un segundo como una película de cinematógrafo; otra mentira de las muchas que se inventa la gente en torno a la muerte. La película que vi fue la vida de Cecilia y con final feliz y todo: la veía alejarse hacia poniente cogida de la mano por su niña. Y lo preferí: mi vida en aquellos momentos me hubiera aburrido como me aburría a diario. Con sus ideales, su lucha desinteresada, sus sacrificios, su pizquita de amor verdadero, correspondido y fructífero, con la promesa del «continuará», con su grito final de «la lucha continúa», la de Cecilia era una película mucho más buena que cualquiera que yo hubiera podido protagonizar, aún con el picante de estar en mis últimos momentos sobre este mundo. Disparé.

Supongo ahora que mi cálculo era: yo le disparo a Eliseo entre las cejas, Lolo me dispara a mí y, mientras, Cecilia se hace con la pistola de Eliseo y le descerraja dos tiros al Lolo. Bien, pues no fue así.

Yo le disparé a Eliseo, eso sí, pero con tan mala fortuna o puntería que no le di entre las cejas como era mi deseo, sino en el pecho y bastante a su derecha. Lolo me disparó a mí, eso también, y el golpazo me estrelló contra la pared. Pero Cecilia no le arrebató el arma a Eliseo, no, porque ya no hacía falta: Eliseo le había pegado un tiro al Lolo, él sí entre ceja y ceja, antes de que la pistola le resbalara de la mano y cayera al suelo.

Me incorporé sobre un codo: Eliseo sólo se sostenía por el abrazo de Cecilia y en verdad tenía la cara que se puede esperar de un herido en el pecho que ha matado a su compañero de tantos años. Lolo cayó envuelto en las cortinas de la entrada; ni siquiera tuvo tiempo de mostrar sorpresa ante la traición; claro que, bien pensado, así de sorprendentes deben de ser todas las traiciones si quieren tener éxito. A Eliseo, Cecilia le tumbó sobre el escritorio con cuidado si no con cariño. La sangre le salía a borbotones de la herida, como sale del agujero de una tapa de alcantarilla durante la tormenta. Después el flujo cesó. Cecilia le cerró los ojos. Ella lloraba.

39

Aunque Gascueña no pasaría de los seiscientos habitantes, también se había visto agraciada en el sorteo con una casa-cuartel de la Guardia Civil. Los disparos debían haberse escuchado en todo el pueblo. Imposible cruzarlo y llegar hasta la Ermita del Rosal en los arrabales para recuperar el pato; y menos con una herida en el hombro que todavía manaba.

—El Packard de Eliseo está en un corral dos puertas más abajo —dijo Cecilia mientras recogía todos los hierros del arsenal— ¿Te duele mucho?

—Un poco.

—Ahora te la miro, en cuanto estemos en campo abierto.

Para no tener que pedirle además ayuda a san Cristóbal, condujo ella.

Los guardias, que estaban examinando, o admirando, el pato como hurones, cuando pasamos nos dieron el alto. No obedecimos. Nos tiraron unas ráfagas, pero se quedaron allí, cada vez más pequeños, golpeando al Citroën con el tricornio. Ni intentaron seguirnos; supuse que también ellos se habían sacado en la mili la licencia.

Cecilia conducía con rapidez y muy segura. Cuando llegamos a la general Madrid-Valencia, en lugar de cogerla, se desvió por un camino lateral y luego saltó a un sembrado; detuvo el auto bajo un olivo.

—Sal —me dijo mientras se apeaba.

Del maletero sacó una manta de viaje y una caja de carne de membrillo que contenía todo un botiquín de primeros auxilios. Extendió la manta sobre la tierra dura por las heladas. Ya habían recogido las olivas en aquel campo.

—Túmbate.

—¿Cómo sabías que Eliseo llevaba un botiquín? —le pregunté mientras me tumbaba.

—Le tenía pánico al dolor. Cuando estuvimos en Pirineos nos lo dijo a Reyes y a mí no sé cuántas veces. Si me pegan un tiro grave me rematáis. Una y otra vez. Para los leves llevaba siempre su propio botiquín.

Cecilia examinó la herida y comenzó a limpiarla.

—No es gran cosa. Aunque dicen que en el hombro duelen mucho.

—No tanto. —Por una vez tenía derecho a hacerme el héroe—. ¿Sabías que le encontrarías en Gascueña?

Negó.

—Fue Eliseo quien me lo pidió. Mandó a Lolo al cuartel a decírmelo. Me habían localizado. Si no quería que le pasara algo a la niña, debía acudir a su pueblo.

—Estaba enamorado de ti.

Negó.

—No tanto de mí como de Reyes y de mí, de lo que habíamos pasado, de que aguantáramos. Era un buen hombre. Y quería a la República y sobre todo a la revolución más que cualquiera de nosotros. Odiaba también más que cualquiera de nosotros. Nunca sabes por dónde te va a salir un soñador vencido. Supongo que no soportaba ya tanto dolor. Quería que le rematáramos.

—Estaba dispuesto a terminar contigo.

—Puede —dijo ella encogiéndose de hombros—. Ya oíste lo de que me buscaba entre los cadáveres y entre fotos de cadáveres. Antes de llegar tú me dijo que cualquier cosa antes de que me mataran los fascistas en alguna calle o que me llevaran a Sol.

—Hiciste bien avisándome.

Negó.

—Fue él quien me pidió que te trajera.

¡No jodas! De modo que Cecilia no me había llamado para que fuera su caballero andante. Cerré los ojos para que ella no me viera el pánico.

—¿Te duele?

Negué. Continuó la cura.

—La bala ha salido por la espalda. A lo mejor, si no se te infecta, ni siquiera tenemos que buscar un médico. Ahora aguanta que te voy a vendar.

«Tenemos que buscar un médico», había dicho. Al menos daba por hecho que íbamos a seguir juntos por un tiempo.

—Antes de que llegaras quiso convencerme para que me fuera con él a Francia. Y con la niña.

—¿Qué coño pintaba yo entonces?

—Sabía que le iba a contestar que no.

—¿Y?

—Me preguntó si te quería. —Y disimuló el sofoco apretando fuerte el nudo de la venda.

Ahora creo que debí preguntar de nuevo «¿y?», pero no lo hice. Dije:

—¡Ay!

—Estaba dispuesto a darnos dinero para que empezáramos de cero fuera de aquí, donde quisiéramos.

—¿Qué le dijiste?

—Me reí. —Mal síntoma—. Le dije que ni siquiera había hablado contigo de algo remotamente parecido. Cuando vio que estabas dispuesto a morir por mí…

—Se cargó a Lolo.

Ella asintió en silencio. Ahora era mi momento:

—¿Y?

No respondió de inmediato; colocaba de nuevo los potingues en la caja de membrillo. Después de guardarla en el maletero:

—Quizá algún día.

—¿Por qué? Te quiero.

—Sólo sabes de mí lo que has leído. Te pasa un poco como a Eliseo. Estás enamorado de que luche, de que aguante. No sabes lo que sería vivir conmigo.

—Eso lo tendré que decir yo, ¿no?

—Y yo.

Yo sólo había visto tanta seguridad en las inscripciones de los sepulcros. El mundo me pareció la mayor mierda que alguien hubiera podido concebir jamás, la vida un engaño y el amor una mentira absurda que, como la venda que me apretaba, se había inventado para evitar que nos saliera a chorros el desconsuelo. Encendí un pitillo. Y comenzó a nevar.

—Tenemos que irnos.

Asentí y subí al auto. Los copos que esmerilaban el parabrisas me recordaron los cristales de mi habitación y lo que quedaba de invierno. ¿Cuántos años tendría que pasar allí?

Al llegar a la general me alivió la angustia ver que tiraba hacia la izquierda, hacia Valencia, sin preguntarme. Hice un último intento:

—La niña podría quedarse conmigo.

Me miró, sonrió y me acarició la rodilla.

—No te preocupes por ella. Estará siempre a salvo.

—Y aprenderá, claro.

—Y aprenderá.

Nos deslizamos por la carretera con la elegancia de patinador que da un Packard blanco sobre una nevada.

—Puedes quedarte en Jaraco hasta que te cures.

—¿Hasta que me cure el qué?

Al entrar a la provincia de Valencia dejó de nevar. Cuando llegamos al llano compramos naranjas y las comimos en silencio sin salir del coche. Llegamos al cuartel de Xeraco al anochecer. Al ver los faros, el guardia de guardia montó el subfusil con movimientos de reloj de cuco. Nos identificamos. Cecilia se llamaba Pilar ahora. Antes de que nos dejaran entrar el cabo Rufino apareció bajo el eslogan de la patria. Llevaba a Reyes en brazos. La dejó en el suelo.

Con paso inseguro la niña corrió hacia su madre en cuclillas. No hay otra patria que esas carreras que pegas de niño. Cecilia sólo quería que todas las criaturas corrieran a los brazos de su madre pero bien comidas. Y sin silencio, gritando. Y sin frío. Y tenía razón en hacer lo que hacía.

Madrid, Benicalap, Xeraco, 2006

ESTE LIBRO HA SIDO IMPRESO
EN LOS TALLERES DE
BROSMAC
CL. C NÚMERO 34
28938 MOSTOLES